WIR GOLDIES SPEISEN GRENZENLOS

EDITION OCTOPUS

WIR GOLDIES SPEISEN GRENZENLOS

35 Festmenüs zu besonderen Gelegenheiten

von Gisela Walcher mit Illustrationen von Ruth Haeublein

Die Edition Octopus erscheint im Verlagshaus Monsenstein und Vannerdat OHG

1. Auflage 2004

Autorin: Gisela Walcher
Illustratorin: Ruth Haeublein
Foto: Gisela Walcher, Gerhard Walther, Berthold Noeske
Layout: Berthold Noeske
Umschlaggestaltung: Hermann Bausch (Idee)
Kolorierung und Gestaltung: Marlies Schoenefeld
Druck: Dimograf

ISBN 3-86582-026-3

Widmung

für

meine

unvergessenen

Schlemmermäuler!

Vorwort
Dank an alle ... S. 8

Menü 1: Aostatal/Italien
Bollito misto S. 22

Menü 2: Lima/Peru
Pierna de cordero S. 26

Menü 3: Paris/Frankreich
Cordon bleu S. 30

Menü 4: Shisong/Kamerun/Afrika
Hähnchenbrustfilet in Erdnusssoße S. 33

Menü 5: Ischia/Italien
Misti di pesce S. 36

Menü 6: Pustertal/Südtirol
Ersäufte Kalbssteaks S. 43

Menü 7: Istanbul/Türkei
Lammschnitten mit Pilaw S. 47

Menü 8: El Oued/Nordafrika
Couscous mit Lammfleisch S. 51

Menü 9: Eguisheim/Elsass/Frankreich
Drei verschiedene Quiches S. 55

Menü 10: Carrion de los Cespedes/Spanien
Carne con frutas S. 59

Menü 11: Zürich/Schweiz
Züricher Geschnetzeltes S. 62

Menü 12: Moskau/Russland
Kohlpastete S. 66

Menü 13: Spockhövel NRW/Deutschland
Spanisch Fricco S. 70

Menü 14: Colombo/Sri Lanka
Schweinefilet S. 73

Menü 15: Mystras/Griechenland
Moussaka S. 77

Menü 16: Teneriffa/Kanarische Inseln
Conejo en salmorejo S. 80

Menü 17: Peking/China
Yü-Hsiang-Niv-You S. 84

Menü 18: Puerto Pinasco/Brasilien
Feijoãda S. 88

Menü 19: Schiffsreise/Ägypten
Bamia S. 92

Inhalt

Menü 20: Sizilien/Kalabrien
Scaloppine al Marsala S. 96

Menü 21: Wien/Österreich
Wiener Rostbraten S. 101

Menü 22: London/England
Old English baked code S. 106

Menü 23: Toledo/Spanien
Paella S. 110

Menü 24: Freiburg i. Brsg./Deutschland
Ofetürli S. 114

Menü 25: Schwabenländle/Deutschland
Ochsenfleisch S. 119

Menü 26: Eichsfeld/Deutschland
Schäfer-Essen S. 123

Menü 27: Colmar/Elsass/Frankreich
Poule au Champagne S. 127

Menü 28: Winnipeg/Kanada
Grilled flank steak S. 130

Menü 29: Regensburg/Bayern
Bayrisch Kraut S. 134

Menü 30: Dublin/Irland
Meal for poor people S. 138

5 Rezepte zu besonderen Festen
im Familien- und Jahreskreis: S. 141

Menü 31: Nikolaus
Filet mit Pfifferlingsragout S. 142

Menü 32: Weihnachten
Gänsebrust mit Rotkohl S. 146

Menü 33: Fasnet:
Schwarzwälder Schäufele S. 150

Menü 34: Kindtaufe
Paniertes Hähnchenbrustfilet S. 154

Menü 35: Leichenschmaus
Rehragout und Bauernschöpsernes S. 158

Menü 36: Der Abschlussdeckel
Seniorentöpfchen S. 165

Schlußwort & Dank S. 167
an alle Helfer/innen

Register S. 170

Die Autorin über sich

Geboren und aufgewachsen bin ich in einem Städtchen, das „Geschichte atmet“, so sagte es

Gisela Walcher - die Autorin
Jahrgang 1940

ein Poet. Dieser schöne Ort heißt Heiligenstadt und ist seit 1540 Hauptstadt des Eichsfeldes, einer Region, die landschaftlich und kulturhistorisch zum Verweilen einlädt. Seit der Wende gehört das Obereichsfeld zum Freistaat Thüringen.
Meine Herkunftsfamilie bestand aus 8 Personen, Eltern, Opa, Tante und 4 Mädchen. In der Geschwisterreihe war ich die Zweite.
Im Rückblick auf meine Kindheit und Jugend wird mir wieder bewusst, dass ich schon als Schulmädchen eine Vorliebe für

Fortsetzung S. 9 re. Sp.

Vorwort

Mancher Zeitgenosse wird sich fragen: „Was ist das für ein Buchtitel? Klingt er nicht zweideutig?“ Zugegeben, ein bisschen schon. Vielleicht weckt er Ihre Neugier!?

Falls Sie sich jetzt ein wenig provoziert fühlen, so lesen Sie doch einfach weiter.

Grenzenlos bedeutet in unserem Zusammenhang „Speisen grenzüberschreitend, rund um den Globus probieren, sich auf fremdländische und exotische Gerichte einlassen, diese ganz sinnlich erfahren und genießen.

Und was sind Goldies? Das sind ältere Menschen, die mit ihrer Lebenserfahrung, ihrer Wärme und Liebe für Familie, Freunde und Gesellschaft unersetzlich sind. Sie sind alt, deshalb entnehmen wir den Begriff der englischen Sprache und nennen sie liebevoll Oldies. Das trifft aber nur sehr unvollkommen ihre Qualitäten. Um ihnen annähernd gerecht zu werden, legen wir die Bezeichnung für das Edelmetall noch obendrauf und nennen sie Goldies.

Alle Rezepte in diesem Buch wurden vom Kochteam der unten beschriebenen Seniorenwohnanlage ausprobiert. Die Autorin/ Köchin legte ganz bewusst auf reichhaltige Mahlzeiten wert. Die GenießerInnen kamen nur einmal wöchentlich anlässlich dieser Schlemmerei zusammen. Schon deshalb mußten sich eventuelle

„KaloriensparerInnen" keine Sorgen machen, vielleicht des Guten zuviel zu tun. Außerdem, wo steht es denn geschrieben, dass sich die ältere Generation nur mit einem Seniorenteller begnügen sollte? Unsere Gruppe erfreute sich am Genuss aus der Fülle.

Ich habe im Laufe der Jahre mit vielen alten Menschen gesprochen, von denen ein Großteil noch beide Weltkriege erlebt und durchlitten hatten. Ich ermutigte sie, jetzt, hier und heute im Miteinander die Gaumenfreuden zu erleben. Die Botschaft kam an. Sie waren begeistert von exotischen und einheimischen Gerichten und liebten es gemeinsam zu schlemmen.

Senioren-Wohnanlage in Freiburg-Zähringen

nicht alltägliche Speisen entwickelte.
Meine Mutter und die Tante waren zwei hervorragende Köchinnen, wobei die Kochkünste unserer Mutter sich reger Nachfrage erfreuten. Sie war oft im Eichsfeld unterwegs und kochte anlässlich größerer Familienfeiern bei Freunden und Verwandten.
Als ich noch daheim lebte, hatte ich kaum die Möglichkeit kreativ Kochrezepte umzusetzen. Welche überragende Kochkünstlerin will schon jemand anderes neben sich haben? Wir Kinder durften/mussten zwar helfen, unsere Mutter jedoch war die unumschränkte Herrscherin am Herd. Meine Kochlust konnte ich erst viel später ausleben.
Mit 20 Jahren beschloss ich - wie viele junge Leute damals -, noch vor dem Mauerbau der DDR-Enge zu entfliehen. Ich entschied mich, Kinderkrankenschwester zu werden, und erlernte diesen Beruf in West-Berlin. Im letzten Ausbildungsjahr überlegte ich mir, dass es sicher von Vorteil wäre, die Erwachsenen-Krankenpflege anzuschließen. Nachdem ich

Fortsetzung S.10 li. Sp.

beide Ausbildungen mit Erfolg abgeschlossen hatte, wollte ich „die Welt kennen lernen".
Ich bewarb mich bei einer Entwicklungshilfeorganisation und ergriff die Chance, drei Jahre in West-Kamerun zu arbeiten. Mir wurde die Leitung eines sogenannten Orphanage (Waisenhauses) übertragen.
Wir kümmerten uns um Säuglinge, deren Mütter während der Entbindung oder kurz danach gestorben waren. Unsere Aufgabe bestand darin, die Neugeborenen

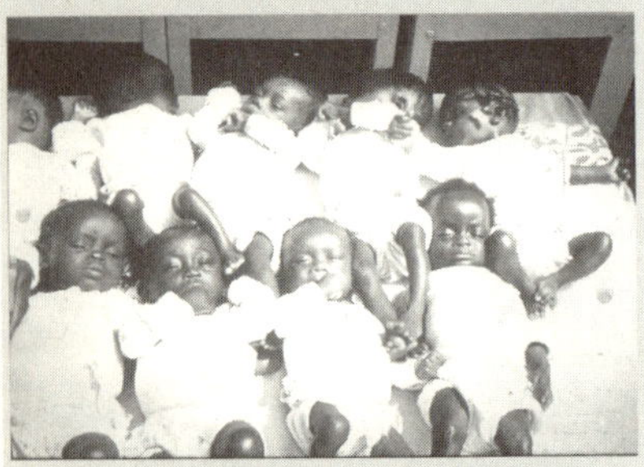

Babies von verstorbenen Mütter

aufzuziehen, bis sie etwa ihr drittes Lebensjahr erreicht hatten. Zu diesem Zeitpunkt waren die Kleinen so weit entwickelt, dass sie einheimische Kost vertrugen und zum Überleben keine Muttermilch mehr brauchten, so dass wir sie wieder in ihre Herkunftsfamilien zurückgeben konnten.

Fortsetzung S.11 re. Sp.

Die Idee zu diesem Buch

entstand durch Anregung der Seniorenkochgruppe, die mir zur Seite stand.
Eines meiner Begegnungsstättenangebote nannte sich **„*Senioren kochen international!*"** An jedem Freitag in der kühleren Jahreszeit (vom ersten Freitag im Oktober bis letzten Freitag im April) kochten wir miteinander.
Ganz schnell fand sich eine Gruppe zusammen, die Köstlichkeiten aus fernen und Nachbarländern sowie der einheimischen Küche genießen wollte. Gäste aus dem Stadtteil hörten davon und nahmen ebenfalls mit Vergnügen teil. Somit war im Monats-Programm der Begegnungsstätte diese Offerte, wörtlich genommen, „das Sahnehäubchen" unter den verschiedensten Angeboten. Ein kleineres Team Seniorinnen/ Senioren vom Haus half während der vielen Jahre „ihrer Köchin" beim Zubereiten der ungezählten Mahlzeiten.
Die Kapazitäten der Teeküche in unserer Begegnungsstätte, wo Vor- und Zubereitung stattfand, waren natürlich begrenzt. Deshalb lag die Gruppengröße der GenießerInnen zwischen 18 bis 25 Personen.
Freitags um 8.00 Uhr standen die HelferInnen, bestehend aus 4 bis 5 Personen, in Wartestellung und begannen mit den Vorarbeiten wie Gemüse/Salat putzen, Beilagen und Dessert herrichten etc. Während des Vormittags hatten wir großen Spaß miteinander. Das Kochteam mitsamt seiner Köchin schwelgte schon im Vorhinein in den zu erwartenden Gaumenfreuden. Bei der Zubereitung wurde viel erzählt und

vor allem gelacht. Manchmal war die Vorbreitungszeit recht knapp bemessen. Trotzdem schaffte es unser eingespieltes Team immer, pünktlich um 12.00 Uhr unsere Gäste zu Tisch zu bitten.
Mit großer Spannung wurde die Tür geöffnet: "Was wird es wohl heute Illustres zum Schnabulieren geben?" Geübte Spürnasen schnupperten den Duft von Knoblauch, Gegrilltem, Gebratenem und sonstigen Wohlgerüchen der internationalen Küche. An jedem Platz lag der selbstgefertigte Speisezettel. Als Auftakt zur kulinarischen Reise hörte man aus den „Genießermäulern" ein vielstimmiges Konzert von unartikulierten Lauten des Wohlgefallens.
Die Zeremonie konnte beginnen.

Die Illustratorin

Frau Ruth Haeublein zu verdanken sind die fröhlich-naiven, sagen wir, herzerfrischenden Illustrationen, die alle Rezepte zieren.
Sie war über all die Jahre mit Enthusiasmus und Hingabe dabei,

Frau Ruth Haeublein
Sie trägt ein selbstverfasstes Gedicht vor, anlässlich des zehjährigen Bestehens der Wohnanlage.

In Afrika entwickelte sich meine Lust für fremdländische, exotische Speisen. Ich lernte die dortige traditionelle Kochweise kennen, den großen Eisentopf, der über der Feuerstelle auf drei Steinen stand. Sicher waren einige Speisen sehr gewöhnungsbedürftig, z. B. gekochte Feldratten, die schon beim Anschauen eines sehr „robusten Innenlebens" bedurften.

Gemeinsame Mahlzeit

Ich kann aber versichern, dass ich alles probierte. Wenn mir nach einem „Versucherle" die Nahrung überhaupt nicht mundete, so erklärte ich, mein schwacher europäischer Magen könne diese oder jene Speise nicht vertragen. Dafür hatte man Verständnis und akzeptierte es. Wir saßen miteinander im Kreis. Es wurde aus einem Topf gegessen. Dazu nahm man mit 3 Fingern der rechten

Fortsetzung S.12 li. Sp.

Hand die Nahrung, z.B. Fufu, einen dicken Maisbrei, aus dem Topf heraus. Die Portion wurde zu einem Happen geformt, in eine mit Palmöl gekochte Gemüsesoße getaucht und verspeist.
Nachdem mein Kamerun-Vertrag beendet und ich wieder nach Deutschland zurückgekehrt war, entschloss ich mich, Sozialarbeit in Freiburg zu studieren.
Bevor das Studium begann, reiste ich mit meiner Freundin nach Nordafrika, Algerien und Marokko. Auch dort konnten wir uns der Gastfreundschaft dieser Menschen sicher sein.
Während des Studiums versuchte ich, das europäische Ausland zu erkunden. Die Stadt Freiburg mit ihrer Lage im Dreiländereck - Frankreich; Schweiz - bot beste Möglichkeit, über nur kurze Distanz Spezialitäten unserer direkten Nachbarn zu genießen.
In dieser Zeit lernte ich einen Südtiroler kennen und lieben. Wir heirateten, und nach Beendigung des Studiums war ich bis zur Geburt unseres ersten Kindes im Rahmen der Familienfürsorge tätig. Danach nahm ich mir Zeit für eine Familienpause.

Fortsetzung S.13 re. Sp.

jeden einzelnen Speisezettel zu illustrieren. Dazu hatten wir ein festes Ritual vereinbart. Zwei Tage vor dem Zelebrieren unserer Mahlzeiten gab ich ihr den von mir erstellten Menüzettel. Sie brachte mir das illustrierte Blatt zurück, und wir beide hatten unseren Spaß an der Überraschung, die auf die Genießergruppe wartete.

Ihr Humor war ansteckend. Sie besaß nicht nur die Fähigkeit, ihn bildlich auszudrücken und damit zu begeistern, sondern verfügte über eine große kabarettistische Begabung, die sie bei manchen Festen in der Seniorenwohnanlage oder auch ganz privat unter Beweis stellte.

In der ganzen Zeit, die sie bei uns wohnte, hatte sie persönliche Schicksalsschläge zu verkraften und krankheitsbedingt viele Schmerzen zu ertragen. Sie war eine mutige Kämpferin, die nie ihren Humor verlor.

Die letzten Jahre ihres Lebens war sie bettlägerig. Als sie achtzigjährig verstarb, trauerten viele um sie. Sie hinterließ uns aber ein großes Geschenk ihrer Fröhlichkeit und Lebenslust, für das wir ihr danken.

Die Illustrationen stammen aus der Zeit von 1991 bis 1998. Die feinen filigranen Arbeiten fertigte sie Anfang bis Mitte der neunziger Jahre. Später bei fortschreitender Krankheit wurde ihr Zeichenstrich etwas dicker, trotzdem spürt man den Witz und den Humor, den sie sich bewahrte.

Wohl in Vorahnung des nahenden Todes übergab sie mir diese Verse:

Jo, jo bi gott!
eines Tages bin ich tot.
Schau als Engel munter
auf unser Haus herunter
und frag mich dann:
Wer illustriert den Speiseplan?
Frau Walcher muss in den
Fundus greifen
hier ein Stück, dort ein Streifen -
und sie denkt: Jo, jo bi gott:
In ihren „Werken" lebt sie fort.

R. Haeublein

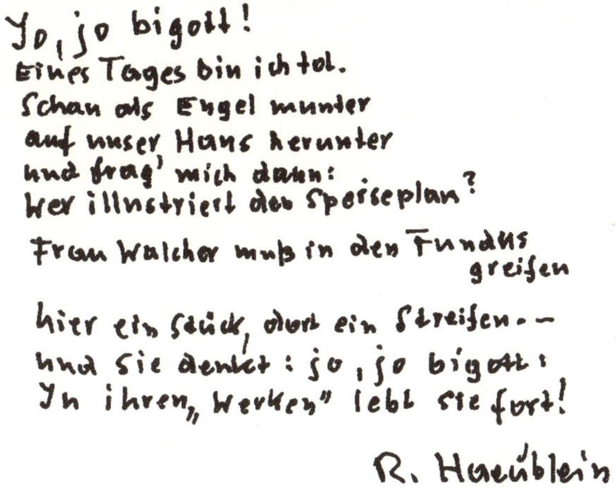
Jo, jo bigott!
Eines Tages bin ich tot.
Schau als Engel munter
auf unser Haus herunter
und frag' mich dann:
Wer illustriert den Speiseplan?
Frau Walcher muß in den Fundus greifen
hier ein Stück, dort ein Streifen --
und sie denkt: jo, jo bigott:
In ihren „Werken" lebt sie fort!
R. Haeublein

Abschließend eine Kostprobe ihres Humors beim Illustrieren.

Ich bat sie einmal, sie möge mir ausnahmsweise auch die Rückseite des Speisezettels illustrieren.
Ihre Antwort darauf war diese ➤

In diesen Jahren nutzten wir jede Gelegenheit, Urlaube entweder in Südtirol oder auf dem Eichsfeld zu verbringen. Das war besonders für unsere inzwischen drei Kinder positiv, da zu dieser Zeit beide Omas und Opas noch lebten. So hatten sie die Chance, die jeweilige Heimat Ihrer Eltern mit ihrer eigenen Kulturtradition und Mentalität zu verinnerlichen.
Als das letzte Kind in den Kindergarten kam, stieg ich wieder in die Berufsarbeit ein. Fast ein Jahrzehnt übernahm ich den Sozialdienst in zwei Freiburger Krankenhäusern.
Ab 1990 übertrug mir der Stadt-Caritasverband Freiburg die Leitung der Seniorenwohnanlage im Stadtteil Freiburg-Zähringen.
11 Jahre hatte ich Gelegenheit, zusammen mit meinen älteren Damen und Herren den Weg zum eigenen Älterwerden zu beschreiten.

Zwischenzeitlich bin ich selbst zur Seniorin herangereift und genieße meinen Ruhestand.

Die Autorin über sich.

Das Helferteam

Herr Gerald Rothmund

Frau Lucie Fuchs

Dank an alle, die über 10 Jahre hin mitgeholfen haben

Danken möchte ich von ganzem Herzen meiner immer engagierten, fröhlichen Helfergruppe, ohne die es niemals gelungen wäre, die Freitags-Gaumenfreuden miteinander zu genießen.

Allen voran soll unser damals ältester Bewohner genannt werden, Herr Gerald Rothmund. Er starb 94jährig.
Jeden Freitag hat er mit großer Präzision und Ausdauer sein Lieblingsgemüse geputzt: Karotten. Zu manch asiatischem oder afrikanischem Gericht passte dieses Vitamin-A-reiche Gemüse nicht unbedingt. Die Köchin jedoch war keine Spielverderberin und konnte immer ein paar Möhrchen verwenden. Während Herr Rothmund konzentriert seine Arbeit verrichtete, schaute er plötzlich in die Runde, stand unvermittelt auf und erzählte, verschmitzt lächelnd, einen Witz. Wir alle hatten ihn sehr gern.

Eine ebenso fröhliche Helferin war unsere Frau Lucie Fuchs, eine Ur-Berlinerin, die immerhin schon länger als 30 Jahre in Freiburg lebte und mit ihrem trockenem Humor so manches Mal unsere Lachmuskeln reizte. Sie half, solange sie konnte. Später, als ihr das Laufen zur Qual wurde, kam sie dennoch zu Tisch und freute sich an dem gemeinsamen Mahl.

Bis zum Ende unserer gemeinsamen Kochabenteuer - rund um den Globus - konnte ich mich auf mein vierblättrigen Kleeblatt verlassen, das unermüdlich auch die abenteuerlichsten Rezepte mit mir umsetzte.

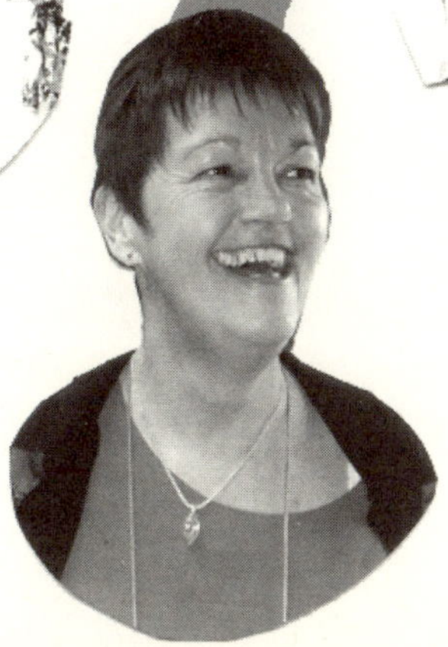

Die zwei „oberen Blätter", das Ehepaar Inge und Alfons Brose, sowie „die Blätter drei und vier", Frau Dorothea Krings und Frau Regina Engler, waren mit ungebremsten Engagement an meiner Seite.

Viele Geschichten

Es müsste
eine weitere
Geschichte
geschrieben werden
mit dem Titel,
„Das Kleeblatt und
die Köchin".

Lassen wir es
dabei bewenden!

Danke!

Dank Euch Ihr Lieben alle, die Ihr dazu beigetragen habt, unsere lukullischen Weltreisen in unvergleichlicher Weise zu veranstalten, Ihr, die Ihr stets mit Ausdauer und Enthusiasmus die stundenlangen Vorbereitungen mit fleißigen Händen durchgestanden habt, ebenso Dank Euch Ihr lieben alten und uralten Schlemmer alle miteinander.

Euch möchte ich ein Denkmal setzen!
Mit Euch und Eurem grenzenlosen Speisen möchte ich hundert werden.

Gisela Walcher

WIR GOLDIES SPEISEN GRENZENLOS

Jetzt geht´s los!

Somit wären wir beim Eigentlichen angelangt, **„den grenzenlosen Menüs“**, die Ihnen sicher genauso munden werden wie der Seniorengruppe.

Frau Regina Engler   Ehepaar Brose

's Gschichtle zum Menü

Für alle Menschen, die nicht aus der hiesigen Region stammen, eine kurze Erläuterung zum Stichwort **„'s Gschichtle".**

Der Buchstabe „**s**" ist das Kürzel für den Artikel „**das**". In unserer schönen Stadt Freiburg und weit um in der Gegend im Südwesten Deutschlands enden sehr viele Worte mit den beiden Buchstaben „**le**". Das hat für die meisten Touristen und Zugereisten einen liebevollen Klang.

So unterscheidet man hier z.B. die Kinder, indem man sie „**'s Mädle**" oder „**'s Büble**" nennt. Eine kleine, enge Strasse in Freiburg ist „**'s Gässle**". Wenn darin mehrere kulinarische Geschäfte aneinander gereiht sind, sagt man dazu „**'s Fressgässle**".

Fortsetzung rechte Spalte S.19

Alle folgenden Rezepte sind für 6 Personen berechnet

Frau Huber

Frau Fridrich

Frau Klose

Herr Diesch

Frau Kreutz

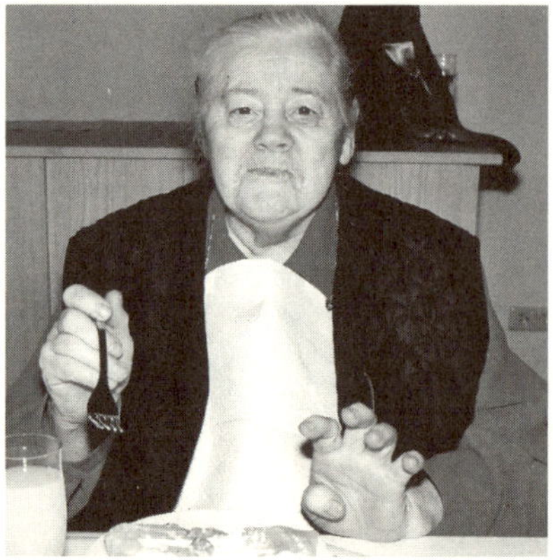

Frau Möller

Die Überschrift der Menüs, die jeweils den Namen des Landes oder der Landschaft tragen, bezieht sich auf die **Hauptspeise**. Das Reizvolle der grenzüberschreitenden Rezepte liegt in deren Zusammenstellung.

Beispiel: Menü 1 hat die Überschrift ***„Aostatal/Italien"***. Aus der dortigen Küche stammt die **Hauptspeise**, die **Vorspeise** dagegen aus Frankreich und das **Dessert** aus Deutschland.

Empfehlungen für Getränke zum Essen werden Sie nicht finden. Bewusst habe ich zu den Menüs keine Vorschläge gemacht. In unserer Seniorengruppe wählte jede/r das, was gerade mundete. Da wir in der sonnenverwöhntesten Weingegend Deutschlands wohnen, bevorzugten wir hiesige Weine aus dem Markgräflerland und dem Kaiserstuhl. Allerdings schmeckte gleichermaßen ein Bier oder für Leute, die nichts Alkoholisches tranken, auch ein Glas Mineralwasser zum festlichen Essen.

*Ein Geschäft im Schatten des Münsterturms, in dem hochwertige Produkte aus den Behindertenwerkstätten des Caritasverbandes Freiburg Stadt e.V. angeboten werden, heißt: **„'s Lädele"**, und nicht zu vergessen die berühmten **„Bächle"** von Freiburg.*

Ich habe jedem Rezept ein paar Sätze vorangestellt, die etwas über Länder, Menschen oder Ereignisse im Zusammenhang mit dem Menü aussagen:

*„**'s Gschichtle**" eben!*

Abkürzungen:

EL = Esslöffel
Msp. = Messerspitze
P = Packung
TL = Teelöffel

Die drei Eckpfeiler meiner Kochrezepte:

Gutes Essen ist ein sehr sinnliches Erlebnis. Deshalb richtete die Autorin alle Rezepte nach drei Gesichtspunkten aus:

Lust - Genuss - Amusement total

Betrachten wir den fünften Vokal im ABC, das U. Wenn Sie es aussprechen, so hören Sie einen tiefen, warmen Laut: „Uuu!" . Lautmalerisch bedeutet er Zufriedenheit, Satisfaktion. In Verbindung mit dem Konsonanten S erreichen wir noch eine Steigerung.

Lust

Sie sind zu einem in diesem Buch beschriebenen Festmenü eingeladen worden. Nun stehen Sie vor der Wohnungstür und haben schon im Treppenhaus den wunderbaren Duft der zu erwartenden Speisen wahrgenommen. Die Tür wird geöffnet und Sie mit „Hallo" begrüßt. Die ganze Wohnung ist vom Speisenduft durchdrungen. Sie setzen sich zu den anderen an den festlich gedeckten Tisch und schnuppern die Wohlgerüche der Küche. Der Freundeskreis beginnt mit einem Glas Champagner und der Vorspeise. Wie appetitanregend doch beides aufeinander abgestimmt ist! Schon die erste Kostprobe lässt Sie in Verzückung geraten. Die Gespräche am Tisch verstummen beinahe. Man isst und schwelgt.

Genuss

Jetzt wird die Hauptspeise aufgetragen Die Spürnasen nehmen den Duft der dampfenden Schüsseln auf. Jeder erfreut sich am Anblick und nimmt von allem ein wenig. Der Wein, die verschiedenen Speisen sind hervorragend. Es wird gelacht, erzählt, nochmals und wieder die Teller gefüllt und genossen.

Amusement total

Nach einer Pause, einem Zwischendrink, vielem Lachen, Gesprächen und Genießen, bringt die Freundin das Dessert. Jetzt schauen alle Augen verzückt auf diesen krönenden Abschluss. Man lehnt sich zurück, einige schließen die Augen, bevor sie diese zartsüße Versuchung hinuntergleiten lassen.

Nach Betrachtung dieser bildlichen Darstellung des U und S bedarf es nur noch der Aufforderung:

„Stürzen Sie sich in den vollen Pool des Genießens!“

's Gschichtle

Amuse-gueule nennt man in Frankreich etwas Kleines, Leckeres, das vor der Hauptspeise genossen wird. Ins Freiburgerische übersetzt heißt das: "Erfreuen Sie Ihr Göschle!"
Die Hauptspeise, ein großartiges Fleischgericht mit grüner Soße, ist im Alpengebiet des Aostatals und Piemonts heimisch. Dort pflegt man, verschiedenste Fleischsorten in einem Topf zuzubereiten. Die Seniorengruppe mochte am liebsten die Kombination mit Rind-, Kalbfleisch und Poularde.

Vorspeise: **Wildlachsröllchen aus Frankreich** (***Amuse-gueule***)

Hauptspeise: ***Gemischte Fleischsorten mit grüner Soße und Baguette aus dem Aostatal/Italien*** (***Bollito misto con salsa verde***)

Dessert: **Fürst-Pückler-Eis**

Vorspeise: ***Amuse-gueule***

3 P Wildlachsscheiben, je 8 Scheiben
1 Becher Sahne
1 Apfel
scharfer Meerrettich
1 Becher körniger Käse
1 Becher saure Sahne 10%
1 Bund Schnittlauch
bunter Pfeffer
1 kleine Dose Gold-Mais
1 kleine Dose Spargelspitzen
1 Becher Tresana-Creme
(Brotaufstrich aus dem Schwarzwald), wahlweise Schmant
Kresse, Zitronenscheiben

Zubereitung rechte Spalte S. 23

Hauptspeise: ***Bollito misto con salsa verde aus dem Aostatal/Italien***

Zutaten für den Fleischtopf:

500 g Kalbfleischfilet
600 g Rindfleisch aus der Keule
Poularde sowie folgende

Gemüse

1 große Knolle Sellerie
3 Stangen Lauch
4 große Möhren
3 große Zwiebeln
1 gestrichenen EL
bunte Pfefferkörner
gekörnte Gemüsebrühe

Beilage Baguettebrot

Vorspeisenzubereitung

Die Wildlachsscheiben können mit verschiedenen Füllungen versehen werden.

1. 150g Sahne steif schlagen, Apfel grob raspeln, hinzufügen sowie 1 EL scharfen Meerrettich aus dem Glas. Alles gut verrühren (nicht mit dem Mixer!). Nun dick auf 8 Scheiben streichen und rollen.

2. 1 Dose körnigen Frischkäse,
1 Becher saure Sahne 10%,
1 Bund Schnittlauch in Röllchen geschnitten und bunten Pfeffer nach Geschmack miteinander verrühren und wie oben verfahren.

3. Dose Gold-Mais gut abtropfen lassen und das Glas mit den Spargelspitzen. Die Lachsscheiben zunächst dick mit Tresana-Creme oder Schmant bestreichen. Darauf Mais und Spargelspitzen legen, so zusammenrollen, dass die Spargelspitzen sichtbar sind. Auf jeden der 6 Teller verschieden gefüllte Lachsröllchen legen und diese mit Kresse und Zitronenscheiben garnieren.

Hauptgerichtzubereitung

Einen großen Topf mit 3,5 l Wasser füllen, gekörnte Gemüsebrühe nach Mengenangabe der Packung hinzugeben und zum Kochen bringen. Gemüse putzen, waschen, schneiden und mit dem Kalbsfilet in die kochende Brühe geben. Nach ca. 12 Minuten das Gemüse herausnehmen, damit es bissfest bleibt. Das Kalbfleisch insgesamt nicht länger als 30 Min. kochen, herausnehmen und beiseite stellen. Jetzt das Rindfleisch etwa 1 bis 1 1/2 Stunden köcheln lassen. Abschließend die Poularde ca. 30 Min. ziehen lassen. Vor dem Servieren Fleischsorten in dünne Scheiben schneiden, die Poularde entbeinen, Haut entfernen und ansehnlich portionieren. Nochmals alles heiß werden lassen und mit dem Gemüse auf einer Platte dekorativ anrichten.

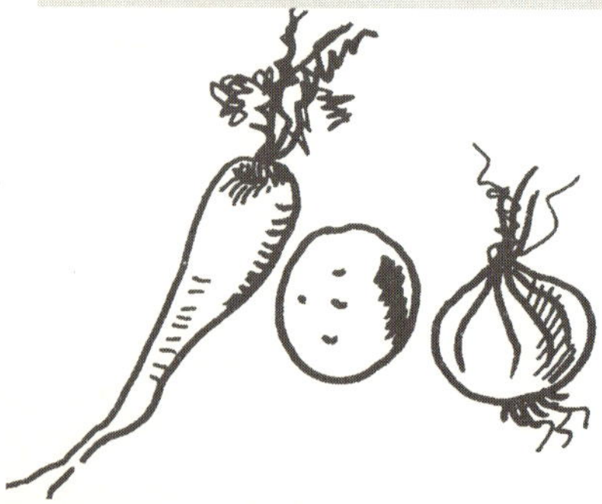

Grüne Soße

3 Bund Petersilie
5 Sardellenfilets eingelegt
3 EL Kapern
3 Eigelb
6 EL Olivenöl
3 TL Balsamico Bianco
Salz, weißer Pfeffer

Gewaschene und trocken getupfte Petersilie zusammen mit den Sardellenfilets, Kapern, Eigelb und Knoblauch mit dem Zauberstab fein pürieren. Das Olivenöl vorsichtig hinein träufeln und mit Löffel rühren, damit eine sämige Soße entsteht. Abschließend mit Essig, Salz und weißem Pfeffer abschmecken.

Die heiße Fleischplatte reicht man zusammen mit der grünen Soße und bietet noch frische, kross gebackene Baguette-Scheiben an. Das Baguette sollte direkt aus dem Backofen kommen, also warm sein. Die Wärme kann eine Weile gehalten werden, indem man die Brotscheiben mit einer großen Serviette abdeckt.

Dessert: ***Fürst-Pückler-Eis***

1 P Fürst-Pückler-Eis

1 P Eiswaffeln

Sprühsahne

Dessertzubereitung

Das Eis portionieren,
auf 6 Dessertteller
verteilen,
mit Sprühsahne verzieren
und auf den Tellerrand
je 2 Eiswaffeln
legen.

Sofort servieren.

's Gschichtle

Álvaro kam aus Perus Hauptstadt Lima. Er lebte viele Jahre in Freiburg, studierte und promovierte hier. Eine seiner Leidenschaften war das Kochen. Wir feierten viele gemeinsame Feste mit ihm und unseren ausländischen Freunden aus verschiedensten Ländern und Kontinenten.

Vorspeise: **Hawai-Salat**

Hauptspeise: **Eingelegte Lammkeule nach Álvaro aus Lima/ Peru** (***Pierna de cordero a la manera de Álvaro***), **Cecilias Kartoffeln in Pfeffersoße *(Papas huancaínas y a la de Cecilia)*** **und grüne Bohnen**

Dessert: **Kaffeekuss im Hemd**

Vorspeise: ***Hawai-Salat***

1 Kopf grüner Salat
Saft von 3 Limonen
3 Kiwis
4 mittelgroße Sellerieknollen neue Ernte
1 Dose Ananasstücke 500 g
3 Äpfel, süß-saftige Sorte
eine handvoll ungeschwefelter Rosinen
eine handvoll Mandelstifte

für die Marinade:

1 Tasse Tomatenketchup
1 Becher süße Sahne
weißer Pfeffer aus der Mühle,
etwas Zucker und Salz

Zubereitung rechte Spalte S. 27

Hauptspeise: ***Eingelegte Lammkeule nach Álvaro aus Lima/Peru***
(*Pierna de cordero a la manera de Álvaro*)

1 Lammkeule, ca. 2,5 kg
3 Knollen Knoblauch
3 Bund frisches Korianderkraut
1 gehäuften EL Kreuzkümmel
nicht gemahlen
sehr gutes Olivenöl
Kräutersalz
bunter Pfeffer aus der Mühle
1/2 l trockener Weißwein
Speisestärke

Zubereitung

Die Lammkeule sollte frisch sein, am besten im türkischen Laden kaufen! Keule gut waschen, trocknen. Knoblauch schälen. Die Zehen mit Knoblauchpresse zerdrücken. Frischen Koriander mit einer Kräutermühle zerkleinern. Zusammen mit dem Kreuzkümmel in eine Schüssel geben, mit Olivenöl mischen, sodass eine dickliche Paste entsteht. Lammkeule auf ein größeres Stück Alufolie legen und die Paste gleichmäßig auftragen. Folie um die Lammkeule wickeln. Darauf achten, dass sie vollständig mit der Folie verpackt ist. Dann die eingewickelte Keule mindestens 24 Stunden oder länger kühl lagern. Fortsetzung S. 28

Vorspeisenzubereitung

Salatblätter auseinander nehmen, waschen, in der Salatschleuder restliches Wasser entfernen. Sellerieknollen schälen, halbieren, 3 Minuten in leicht gesalzenem Wasser kochen. Ananasstücke abtropfen lassen, Saft aufheben. Äpfel schälen und nach Entfernen der Kerngehäuse grob raspeln, mit etwas Limonensaft beträufeln. Kiwis schälen und in Scheiben schneiden.
Mandelstifte in Butter bräunen und abkühlen lassen.
Jetzt alle vorbereiteten Obstsorten sowie Rosinen miteinander mischen, auch die inzwischen abgekühlten und grob geraspelten Sellerieknollen. Nun gibt man das Tomatenketchup zu der süßen Sahne und fügt nach Geschmack Salz, Zucker, weißen Pfeffer, den restlichen Limonensaft hinzu und ggf. noch etwas vom Ananassaft. Schließlich die gerösteten Mandelstifte über die Früchte streuen und alles miteinander mischen.
Der fertige Salat sollte mindestens eine halbe Stunde ziehen. Vor dem Servieren wird jede Portion auf einem Blatt Kopfsalat angerichtet.

Backofen auf kleiner Stufe (10 Min.) vorheizen (175°). Lammkeule mit der Alufolie ungeöffnet auf den Bratrost in den Backofen legen. Ca. 4 Stunden oder länger bei 175° schmoren lassen. Das Fleisch sollte nach Ende der Garzeit vom Knochen fallen. Wenn es fertig ist, Alufolie entfernen, Knochen herauslösen, portionieren und das noch heiße Fleisch mit etwas Kräutersalz bestreuen. Kurz beiseite stellen, warm halten.
Den Bratensaft in einen Topf geben, Weißwein hinzu fügen, mit Speisestärke etwas andicken und mit Salz und Pfeffer abschmecken. Getrennt vom Fleisch reichen. Sofort servieren.

Grüne Bohnen mit frischem Knoblauch

600 g grüne Bohnen frisch
1 Bund Bohnenkraut
frisches Knoblauch,
das noch kleine, nicht ausgereifte Zehen hat,
1/2 l Gemüsebrühe
125 g zerlaufene Butter

Bohnen putzen, waschen, nicht klein schneiden. Junges Knoblauch gut waschen, nicht schälen. Zusammen mit den Bohnen und Bohnenkraut in die kochende Gemüsebrühe geben. Alles ca. 10 - 12 Min. bissfest kochen lassen. Zwischendurch immer mal probieren, damit sie nicht zu weich werden. Wenn alles fertig ist, so viel Gemüsebrühe abschütten, dass nur noch der Boden des Topfes damit bedeckt ist. Das Bohnenkraut herausnehmen, die Blätter von den Stielen abstreifen, wieder zurück zum Gemüse geben. Das mitgekochte Knoblauch auf einen Teller legen, mit einer Gabel darüber streichen, um es aus den Schalen zu drücken, ebenfalls zum Gemüse geben. Abschließend die Butter über die heißen Bohnen gießen.

Kartoffeln in Pfeffersoße nach Cecilia
(*Papas huancaínas a la de Cecilia*)

2 kg gleichgroße Kartoffeln
2 Gemüsezwiebeln
Saft von zwei Zitronen
1 TL gemahlenen bunten Pfeffer
1 TL Kurkuma
1 TL Salz
1 rote Pfefferschote
400 g Frischkäse
1 Schuss süße Sahne
1 handvoll schwarze Oliven

Kartoffeln schälen und kochen. Darauf achten, dass sie nicht zu weich werden.

Zubereitung der Pfeffersoße
Zwiebeln halbieren und ganz dünn schneiden. Salz, die verschiedenen Pfeffersorten und Chili mit dem Zitronensaft mischen, in einer zugedeckten Glasschüssel ziehen lassen.
Jetzt rote Pfefferschoten halbieren und die Kerne entfernen, dann ganz fein schneiden. (Achtung, während Sie mit der Pfefferschote hantieren, auf keinen Fall in Augennähe kommen. Augen könnten sonst fürchterlich brennen!) Frischkäse und Sahne nehmen, die Pfefferschoten und Kurkuma hineingeben, alles mit dem Mixer pürieren. Abschließend die eingelegten Zwiebeln mit den Pfeffersorten über die heißen Kartoffeln schütten und dann mit der pürierten Frischkäse-Sahne-Soße bedecken. Wenn die Kartoffeln angerichtet sind, werden sie mit schwarzen Oliven garniert.

Dessertzubereitung

Kaffeekuss im Hemd

1 l Milch, 3 Päckchen Dr.-Oetker-Paradies-Creme, Sahne Karamell Geschmack, Espressokaffee abgekühlt (aus dem Kühlschrank) Kaffeelikör, süße Sahne, Vanillezucker, 1 P Eiswaffeln, Mokkabohnen von Schwartau zum Garnieren.

Milch in eine Schüssel geben. Das Cremepulver hinein geben und nach Packungshinweis zubereiten, in 6 Dessertschalen verteilen. Darüber den kalten Espressokaffee, ca. ein halbes Mokkatässchen leeren. Achtung: Kaffee sollte vorsichtig am Glasrand entlang gegossen werden, da er sonst in der Mitte der Creme eine Vertiefung macht. Süße Sahne mit Vanillezucker steif schlagen und über der Creme verteilen.
Jetzt mit Fingerspitzengefühl je 2 Esslöffel Kaffeelikör über die Sahne geben und eine Mokkabohne in die Mitte legen. Je eine Eiswaffel dazu rundet die Schleckerei ab.

's Gschichtle

Für diese kulinarische Köstlichkeit ist Frankreich bekannt. Der Name Cordon bleu bedeutet blaues Band (Gürtel). Früher gehörte es zur Ordenstracht der Ritter von St. Esprit (Heiliger Geist). Ludwig der XV. war von den Menüs der Köchin seiner Mätresse so angetan, dass er sie mit dem blauen Band dekorierte.

Vorspeise: **Zitronensuppe**

Hauptspeise: **Cordon bleu aus Frankreich, warmer Kartoffelsalat mit frischen Kräutern**

Dessert: **Erdbeeren im Sektbad**

Um dieses hervorragenden Gericht zu genießen, muss man kein Koch mit Stern sein. Probieren Sie es!

Vorspeise: ***Zitronensuppe***

1,5 l Hühnerbrühe (instand)
50 g Langkornreis
4 Eier
Saft von 1 Zitrone
1/2 TL Salz
1/2 TL weißen Pfeffer

Zubereitung
Hühnerbrühe nach Packungsanweisung zum Kochen bringen. Den Reis in die kochende Brühe geben und 15 Min. ziehen lassen. Derweil die Eier leicht schaumig schlagen, langsam den Zitronensaft hinein träufeln und währenddessen immer mit dem Schneebesen schlagen. 1 Suppenkelle kochende Hühnerbrühe nehmen und langsam unter die Zitronen-Ei-Mischung rühren. Den Topf vom Herd nehmen und das Gemisch vorsichtig hineingießen, ständig weiter rühren, damit die Suppe nicht gerinnt. Nochmals auf den Herd stellen, nicht kochen, nur erhitzen.
Abschließend mit Salz und Pfeffer abschmecken, sofort servieren.

Hauptspeise: ***Cordon bleu***

6 Kalbsschnitzel
6 Scheiben gekochter Schinken
6 Scheiben Emmentaler Käse
Salz, weißer Pfeffer
2 EL Mehl
1 Verquirltes Ei
2 EL Semmelbrösel
Öl
2 Limonen
1 Sträußchen Petersilie

Zubereitung
In die Kalbsschnitzel sollte eine Tasche geschnitten werden (macht Ihr Fleischer). Leicht breit drücken, nicht klopfen, mit Pfeffer und Salz würzen. In die Tasche je 1 Scheibe gekochten Schinken und Käse stecken. Das Schnitzel mit Zahnstochern zusammenstecken. Jetzt im Mehl, danach im verquirltem Ei und abschließend in Semmelbröseln wenden. Öl erhitzen (es sollte nicht zu heiß sein, damit die Panade nicht verbrennt), Schnitzel darin von jeder Seite 6 - 8 Min. braten. Auf vorgewärmte Platte legen, mit Limonenscheibe und Petersilie garnieren.

Warmer Kartoffelsalat mit frischen Kräutern

2 kg Salatkartoffeln
1/2 l Gemüsebrühe aus Würfeln, 3 EL Öl, Essig
Salz, bunter Pfeffer,
frische Kräuter: Petersilie,
2 Bund Lauchzwiebeln
6 große Tomaten, Dill

Kartoffeln mit Schale in Salzwasser kochen. Während des Kochens Kräuter und Lauchzwiebeln waschen, klein schneiden, beiseite stellen. Von den Tomaten Stängelansätze entfernen, achteln, in eine Schüssel legen, salzen und pfeffern. Gekochte Kartoffeln pellen, in Scheiben schneiden. Die noch kochende Gemüsebrühe vom Herd nehmen und die Lauchzwiebeln hineingeben, über die noch heißen Kartoffelscheiben gießen, die gewürzten Tomatenachtel mit den Kräutern hinzufügen. Abschließend Essig, Salz, Pfeffer nach Geschmack sowie 3EL Öl dazugeben und alles vorsichtig mischen.

Dessertzubereitung

Erdbeeren gut waschen und abtropfen lassen, Blätter entfernen. Erdbeeren nicht klein schneiden (ist optisch schöner). Ein wenig Zucker vorsichtig untermischen. Früchte in große Rotweingläser verteilen. Erst direkt vor dem Servieren mit Sekt übergießen und mit Sprühsahne ein Häubchen darüber spritzen.

Nachspeise: ***Erdbeeren im Sektbad***

1,5 kg frische Erdbeeren
1 Flasche Sekt halbtrocken
Zucker
Sprühsahne

's Gschichtle

Schwester Lambertas Flädlesuppe ist eine klassische Vorspeise in Baden-Württemberg, speziell auch in Freiburg. Viele Klöster sind bekannt für ihre gute Küche. Diese Suppe hat Tradition bei den Schwestern, auch ich aß sie dort und habe sie seither oft und gern zubereitet.
Shisong liegt im Hochland von Kamerun. Dort lernte ich einen Ausschnitt afrikanischer Kultur, die Menschen und ihre Lebensweise kennen und schätzen. Sie luden mich oft zum Essen ein. Gemeinsam mit Ihnen saßen wir im Kreis um die Feuerstelle und hielten Mahl.

Mein Rezept aus Kamerun ist eine Verfeinerung des Originals. Alle, die Exotisches lieben, werden begeistert sein.

Vorspeise: **Schwester Lambertas Flädlesuppe**

Hauptspeise: **Kameruner Hähnchenbrustfilet in Erdnusssoße mit Reis, Süßkartoffeln und tropischen Früchten**

Dessert: **Creme de l'amour aus Martinique**

Vorspeise: ***Schwester Lambertas Flädlesuppe***

1 1/2 l Rinderkraftbrühe, selber zubereitet.
Für die Brühe brauchen Sie:
1 Rinderbeinscheibe,
1 Sellerie
2 größere Möhren
1 Stange Lauch
1 Zwiebel
Salz und Pfefferkörner
3 Gemüsebrühwürfel
bunten Pfeffer aus der Mühle

Vorspeisenzubereitung

Die Zutaten in knapp 2 l Wasser geben (es verkocht einiges).
1 Stunde und 45 Min. köcheln lassen, durch ein Sieb gießen, Gemüse beiseite stellen, anderweitig verwenden. Die Fleischbrühe mit Salz und Pfeffer aus der Mühle abschmecken, sie sollte gut gewürzt sein.

Für die Flädle:

2 Eier, 1/2 TL Salz
2 EL Milch
6 gestrichene EL Mehl
40 g Margarine z. Braten
1 Bund Petersilie gehackt

Ei, Salz, Milch und Mehl zu einem Pfannekuchenteig verquirlen. Die Margarine in eine Pfanne geben und aus dem Teig 2 oder 3 dünne Pfannekuchen backen, in zarte Streifen, „Flädle“, schneiden.

Zum Schluss fertige Brühe nochmals heiß machen, Brühe in vorgewärmte Suppenschüsseln geben und Flädle einlegen. Etwas Petersilie darüber streuen, sofort servieren.

Hauptspeise: ***Kameruner Hähnchenbrustfilet in Erdnusssoße***
mit Reis, Süßkartoffeln und tropischen Früchten

6 Hähnchenbrustfilets
1 l Hühnerbrühe (instand)
1 Glas Erdnusscreme 350 g (von Ültje)
Butter zum Braten
4 Süßkartoffeln
Öl zum Frittieren
Kräutersalz (Cayennepfeffer)
2 Tassen Basmatireis
Salz, Öl
1 EL Butter
150 g Mandelstifte
3 EL Rosinen, einweichen in lauwarmes Wasser

1 Kokusnuss
1 frische Ananas,
6 frische Kiwis
3 frische, reife Mangos
3 reife Avocados
Saft von 3 Zitronen
5 cm Ingwerwurzel

Gewürze:
Cayennepfeffer
bunter Pfeffer aus der Mühle
Curry, Salz
1 TL Honig

Zubereitung

Die abgespülten und trocken getupften Hähnchenbrustfilets salzen und in Butter sanft anbraten, mit der Hühnerbrühe ablöschen, aufkochen, 10 Min. auf kleiner Flamme weiter köcheln lassen. Geschälten und klein-geschnittenen Ingwer und Erdnusscreme dazugeben, alles rühren, bis eine sämige Erdnusssoße entsteht. Hitze reduzieren, kleinste Stufe.

Achtung: Die Soße brennt schnell an, wenn sie nicht mehr gerührt wird. Deshalb empfehle ich, den Topf in ein kochendes Wasserbad zu stellen und nun das Würzen vorzunehmen. Dazu muss man den Geschmack seiner Gäste kennen.

Ich mag diese Soße scharf und etwas süß.

Für ungeübte Genießer des pikanten Essens sollten Sie mit dem Würzen vorsichtig sein und nur Prisen verwenden, dann immer wieder probieren, bis die richtige Schärfe erreicht ist. Wer es scharf mag, kann von den oben genannten Gewürzen 1 Messerspitze oder 1 TL nehmen - oder mehr. Honig zum Schluss nicht vergessen. Er gibt den typisch süß-scharfen Geschmack.

Die Filets in der fertigen Soße, im heißen Wasserbad beiseite stellen.

Reiszubereitung: 3 Tassen Wasser mit wenig Salz zum Kochen bringen. Reis hineingeben, einmal aufwallen lassen und sofort auf niedrigste Hitze schalten. Nicht umrühren! Basmatireis braucht ca. 15 Min. zum Quellen.

Während dieser Zeit die Süßkartoffeln schälen, der Länge nach in sehr dünne Scheiben schneiden und frittieren. Wenn sie eine goldgelbe Farbe haben, aus dem Öl nehmen, auf Küchenpapier Fett abtropfen lassen und mit etwas Kräutersalz bestreuen. Für die „scharfen Gäste“ können Sie die Scheiben noch mit Cayennepfeffer bestäuben.

Jetzt wird die Reisbeilage vervollständigt. Dazu nehmen Sie eine Pfanne, geben Butter hinein und lassen auf kleiner Flamme die Mandelstifte darin rösten Wenn sie hellbraun sind, die gut abgetropften Rosinen dazu geben, abschließend beides vorsichtig unter den heißen Reis heben, warm stellen.

Nun werden die Früchte zubereitet.

Ananas schälen, in Scheiben schneiden, Strunk in der Mitte entfernen, auf einer Platte hübsch anrichten.

Die Kiwis schälen, in Scheiben schneiden. Ebenfalls auf einem Teller dekorieren.
Die Mangos sollten sorgfältig ausgewählt und zum Verzehr unbedingt reif sein.
Tipp für den Kauf: Ich wähle Früchte aus, die noch nicht reif sind, und lasse sie je nachdem 4 bis 6 Tage liegen. Wenn man auf die Schale drückt, kann man den Reifegrad erkennen.

Nichtkenner der Frucht haben beim Zubereiten manchmal Schwierigkeiten. Der Tipp: Man halbiert die Mango mit einem scharfen Messer, indem man am flachen Kern entlang schneidet, dann eine Hälfte in die Hand nehmen, nun das Fruchtfleisch karoförmig bis an das Innere der Schale einschneiden. Jetzt wird die Hälfte von außen nach innen eingestülpt. Abschließend kann das Fruchtfleisch ganz leicht von der Schale gelöst und auf einen weiteren Teller gelegt werden.

Avocados sind auf vielfältige Art zu verwenden. Für dieses Menü empfehle ich: Frucht halbieren, Kern und Schale entfernen, die Hälften achteln, auf einen Teller legen, mit Zitronensaft beträufeln, damit das Fruchtfleisch seine helle Farbe behält. Das Ganze sollte nur mit Kräutersalz und buntem Pfeffer aus der Mühle bestreut werden.

Die Kokosnuss ist etwas kompliziert in der Zubereitung.
Folgendes beachten: Wenn man sie auswählt, darauf schauen, dass sie beim Schütteln gluckert. Falls sie ausgetrocknet wäre, hätte das Fruchtfleisch einen seifigen Geschmack. Man bohrt zwei von den drei Keimlöchern am Ende der Nuss an und lässt das Kokoswasser herauslaufen. Es ist zu trinken und sehr erfrischend. Mit einem Hammer wird rings herum die ganze Nuss abgeklopft, dadurch wird das weiße Fruchtfleisch gelöst und lässt sich dann leichter aus der Schale nehmen. Jetzt die Nuss durchsägen und das Fruchtfleisch lösen, in Segmente schneiden und auf einem weiteren Teller anrichten.

Wenn Sie Ihren Gästen das Menü servieren, ist ein runder Tisch sehr zu empfehlen. Sie stellen die vielen Schüsseln und Platten in die Mitte, so können alle am besten partizipieren.
Die Filets in der Erdnusssoße und der Reis sollten heiß sein, alles andere nicht. Jeder Gast kann sich jetzt einen „bunten Teller“ gestalten, der nicht nur eine Augenweide ist, sondern durch die vielfältigen Beilagen in Kombination mit dem Fleisch auch ein kulinarisches highlight.

Dessert aus Martinique: ***Creme de l'amour***

700 ml Kirschsaft
2 Päckchen Vanillezucker
1 gehäufter TL Agar-Agar
(pflanzliches Geliermittel)
500 ml Vollmilch
200 ml Sahne
2 P Zitronenmousse von Dr. Oetker
1 Carambole (Sternfrucht)
Sprühsahne

Dessertzubereitung

Den Kirschsaft aufkochen, den Vanillezucker hinzufügen sowie das Agar-Agar nach Anweisung der Packungsbeilage, noch heiß in große Rotweingläser füllen und kalt werden lassen. Wenn die Masse erkaltet ist, das Zitronenmousse mit Milch und Sahne nach Packungsanweisung zubereiten und über den gelierten Kirschsaft geben. 1-2 Stunden in den Kühlschrank stellen. Die Carambole sollte frisch und knackig sein. Sie wird gut gewaschen, trocken getupft und in zarte Streifen geschnitten, sodass aus jedem abgeschnittenen Stück ein Stern entsteht. Nun 2 dieser Sterne auf jedes Dessertglas legen. Dazwischen setzt man vor dem Servieren mit der Sprühsahne ein paar Röschen.

’s Gschichtle

Ischia ist ein Geheimtipp für Urlauber, allerdings nur außerhalb der Saison. In den Sommermonaten ist die Insel fest in deutscher Hand, außerdem kann man in der Hitze kaum Luft holen, geschweige denn einen Schritt ohne Menschenmassen tun. Wir waren im Monat März dort, wo wir uns das Territorium erwanderten. Dabei stellten wir fest, dass fast alle Gasthäuser geschlossen hatten. Trotzdem fanden wir eine typische Fischerkneipe, die für Einheimische geöffnet hatte, und kamen in den Gnuss dieser hervorragenden Fischmahlzeit.

Vorspeise: **Bunte Sonnenwirbele**

Hauptspeise: **Gratiniertes Fischallerlei aus Ischia (*Misti di pesce*) mit Spinatbandnudelnestern (*Tagliatelle verdi con spinaci*) und süß-sauren Möhren (*carote in agro*)**

Dessert: **Mond und Sterne über Bagdad**

Vorspeise: ***Bunte Sonnenwirbele***

Zutaten und Zubereitung S. 39

Sonnenwirbele nennt man im Kaiserstuhl (Baden) die schmackhaften grünen Blättchen, die auch Rapunzel oder Feldsalat heißen. Bunt bekommen wir diese leckere Vorspeise, indem wir andere Salat- und Obstssorten hinzufügen.

Menü 5 Ischia / Italien

Zutaten

600 g Sonnenwirbele
2 Stauden Chicoree
3 Tomaten
3 Birnen
3 Orangen
3 Avocados
Saft von 2 Zitronen

Für das Dressing:

500 g Joghurt
1 Becher süße Sahne
3 EL Zitronensaft
6 EL Orangensaft
3 EL Weißweinessig
2 EL Zitronensaft
2 Schalotten
2 gestrichene Tl. Zucker
Salz nach Geschmack
1 EL frisch grob gemahlenen weißen Pfeffer

Zubereitung

Sonnenwirbele gut waschen und trocken schleudern. Wenn Wurzelrestchen oder Sonstiges entfernt werden muss, darauf achten, dass die Blätter zusammenhalten. Chicoree putzen, waschen und in 2 cm breite Streifen schneiden. Die Tomaten am Stängelansatz einritzen und kurz in kochendes Wasser legen, häuten, Stängelansätze entfernen, achteln. Birnen schälen, halbieren, Kerngehäuse entfernen und in schmale Stifte schneiden, mit Zitronensaft beträufeln. Orange schälen, filetieren (Fruchtfleisch zwischen den Häuten heraus schneiden.) Avocado halbieren, Kern und Schale entfernen, mit Zitronensaft beträufeln.

Zubereitung des Dressings: Joghurt, Sahne und Orangensaft sowie Weißweinessig miteinander verrühren. Die geschälten und fein gehackten Schalotten mit Zucker, Salz und Pfeffer dazu gegeben und abschmecken.

Die Sonnenwirbele werden auf die Teller verteilt. Die restlichen Salatzutaten gibt man in eine Schüssel und gießt die Soße darüber. Alles vorsichtig unterheben und
jeweils das Salatgemisch in die Mitte der Teller über die Sonnenwirbele geben.

Fischzubereitung

Den im Fachgeschäft gekauften und entgräteten Fisch gut waschen und mit Küchenpapier trocknen. Aus den verschiedenen Sorten je 6 gleich große Stücke schneiden.
1 Stück Lachsfilet,
1 Stück Rotbarschfilet,
1 Stück Seezungenfilet
auf ein Backblech nebeneinander legen, wiederholen, bis der gesamte Fisch auf dem Blech liegt.
Die angegebene Joghurtmenge, süße Sahne und das Maggi-fix-Sahne-Gratin rührt man mit einem Schneebesen zu einer Soße. Damit werden die verschiedenen Fischstücke gleichmäßig begossen. Man gibt sie in den vorgeheizten Backofen und gart sie ca. 25 bis 35 Minuten bei 200°.
Die Limonen waschen, in Scheiben schneiden und vor dem Servieren des Fisches diesen damit dekorieren.

Hauptspeise: ***Gratiniertes Fischallerlei aus Ischia*** (*misti de pesce*)
mit Spinatnudelnestern (*tagliatelle verdi con spinaci*)
und süß-saure Möhren (*carote in agro*)

1 kg Lachsfilet

1 kg Rotbarschfilet

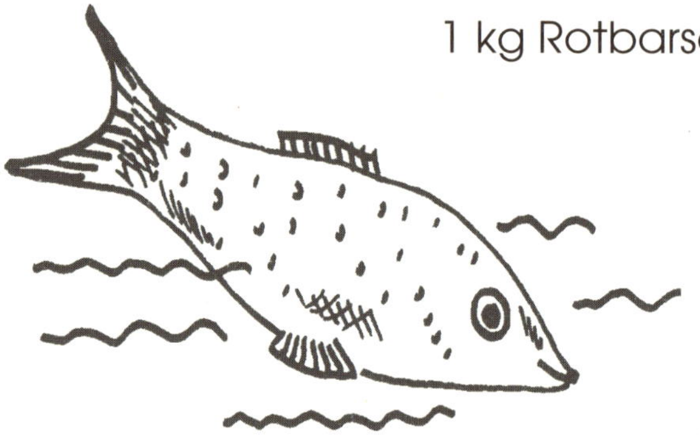

600 g Seezungenfilet

600 ml süße Sahne
2 Becher a 500 g Joghurt natur 0,2% Fett
5 P Maggi-fix Lachs-Sahne-Gratin
2 Limonen

Süß-saure Möhren

Sie sollen 1 bis 2 Tage eingelegt werden:

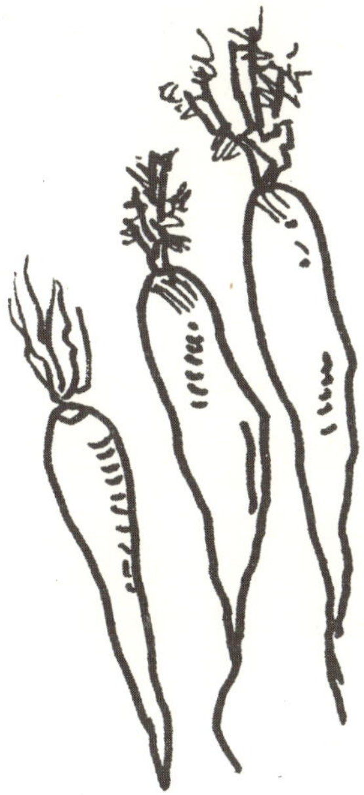

600 g junge, zarte Möhren
ein frisches, gemischtes Kräutersträußchen sollte aus Rosmarin, Petersilie, Minze und Lorbeer bestehen, 1 Bund Basilikum
1/8 l trockenen Weißwein
1/8 Weißweinessig
3 Knoblauchzehen
1 EL Zucker
4 EL sehr gutes Olivenöl
Salz
Pfeffer

Zubereitung

Möhren putzen, in 1 cm dicke Scheiben leicht schräg schneiden, und sie in einen Topf geben, der je mit 1/8 l Wasser, Wein und Essig gefüllt ist, erhitzen. Die Knoblauchzehen abziehen, halbieren und zusammen mit 1 El Zucker, 4 El Öl und das Kräutersträußchen dazu in den Topf geben. Deckel darauf legen und 10 Min. sanft garen. Jetzt etwas abkühlen lassen, Knoblauch und Kräuter entfernen. Die Möhren mit einem Schaumlöffel aus dem Sud nehmen und in eine Schüssel legen, Sud durch ein feines Sieb gießen und so viel über die Möhren schütten, dass sie bedeckt sind, erkalten lassen und später in den Kühlschrank stellen, 1-2 Tage durchziehen lassen. 1 Stunde vor dem Servieren aus dem Kühlschrank nehmen, damit die Möhren Zimmertemperatur bekommen, und mit Basilikumblättchen dekorieren.

Spinat-/ Bandnudelnester

500 g Tagliatelle verdi con spinaci (grüne Spinatnudeln)
150 g frisch geriebenen Parmesankäse
Olivenöl

Nudeln in reichlich kochendes Salzwasser geben, das mit 1 El Olivenöl versetzt wurde, ca. 10-12 Min. bissfest kochen, abschütten, kurz abschrecken, gut abtropfen lassen und in eine Pfanne mit heißem Olivenöl schütten. Nudeln darin schwenken und zum Schluss den geriebenen Parmesankäse darüber streuen.

Mond und Sterne über Bagdad

Weißwein sollte lauwarm sein, über Sultaninen (Bagdads Sterne) gießen und quellen lassen. Nach dem Abkühlen der Sultaninen 2 Sahnebecher zusammen mit den Eiern verquirlen, den Rum und die aufgelöste Gelatine hinzu geben, kaltstellen. Nun den verbliebenen Becher Sahne sowie den Eischnee getrennt steif schlagen. Wenn die kaltgestellte Masse halbsteif geworden ist, zieht man die steif geschlagene Sahne und Eischnee unter und verteilt die Creme sofort in Eisgläser. Wieder kalt stellen. Vor dem Servieren wird jedes Glas mit einer halben Aprikose (dem aufgegangenen Mond) dekoriert und rings herum mit „Sprühsahnesternchen“ verziert.

Dessert: ***Mond und Sterne über Bagdad***

6 Eigelb
180 g Zucker
1/2 l Milch
3 Becher süße Sahne
1/4 l halbtrockenen Weißwein
120 g Sultaninen
3 EL Rum
10 Blatt weiße Gelatine
6 Eiweiß
6 halbierte Aprikosen aus der Dose
Sprühsahne

's Gschichtle

Jeder, der Südtirol besucht, lernt, dass die runden, warmen, wohlschmekkenden Knödel zu diesem Land gehören wie spitze Felsen und eisige Gletscher. Knödel gibt es in allen Varianten, mit Speck, Käse, Spinat, Leber, Pilzen, Kraut usw., usw.

Vor Jahren las ich in einem alten Kalender ein nettes Gedicht über diese unübertroffene und leckere Speise Tirols. Die ersten beiden Zeilen blieben mir in Erinnerung und inspirierten mich, sie wie folgt zu vollenden:

Was ich liebe?
Ich liebe, was gewölbt und rund,
den Korb, den Krug, die Magd, den Mund,
die Schüssel, gut in meiner Hand,
gefüllt mit Knödeln bis zum Rand,
den Apfel, der vom Baume fällt,
den Mond und diese schöne Welt
und alles, was so warm und rund
genussvoll rutscht durch meinen Schlund.

Vorspeise: Cocktail indisch

Hauptspeise: Ersäufte Kalbssteaks, Broccoli-Blumenkohl-Gratin und Fastenknödel

Dessert: Lady in red

Vorspeise: *Cocktail indisch*

6 frische, knackige Salatblätter
800 g gekochtes, klein geschnittenes
Hühnerfleisch ohne Haut
10 EL geschlagene Sahne
6 EL Mandarinensaft, frisch gepresst
Curry, Salz, weißer Pfeffer aus der Mühle,
gemahlener Ingwer,
abgeriebene Schale von 2 Orangen
1/2 Mandarine in Schnitzeln zur Garnierung

Vorspeisenzubereitung

Salatblätter waschen, schleudern, in 6 Glasteller legen. Darauf kommt das kleingeschnittene Hühnerfleisch. Die Sahne mit dem Mandarinensaft verrühren und mit den angegebenen Gewürzen einschließlich abgeriebene Orangenschale abschmecken und über das Fleisch verteilen. Abschließend mit den Mandarinenschnitzeln garnieren.

Hauptspeise: *Ersäufte Kalbssteaks*

6 Kalbssteaks
1/2 l trockenen Weißwein
etwas Rosmarin
3 frische, größere Tomaten
Salz, weißer Pfeffer aus der Mühle
Mehl, Öl

Steakzubereitung

Die Steaks etwas dicker schneiden lassen, nicht klopfen, salzen, pfeffern, in Mehl wälzen und heißem Öl kurz anbraten, mit Weißwein aufgießen, währenddessen Tomaten häuten, achteln und zum Schluss den Steaks beifügen, nochmals 5 Min. weiterdämpfen, mit Pfeffer und Salz abschmecken.

Broccoli-Blumenkohl-Gratin

500 g Broccoli
1 großen Blumenkohl
60 g Butter
200 g geriebenen Schweizer Emmentaler
3 Beutel Maggi-fix Broccoli-Gratin

Broccolizubereitung

Broccoli und Blumenkohl in kleine Röschen teilen, waschen. Den Strunk vom Broccoli schälen und klein schneiden, ebenfalls den Blumenkohlstrunk. Das Gemüse mit der Butter in wenig kochendes Wasser geben und 4 Min. darin dünsten. Nun das Gemüse mit dem Wasser in eine Auflaufform legen und das Broccoli-Gratin von Maggi fix entsprechend des Pakkungshinweises zubereiten, darüber gießen, zusammen mit dem Käse in den vorgeheizten Backofen geben, bei 170°- 200° ca. 15 Min. backen.

Für die Fastenknödel brauchen Sie:

600 g altbackenes Weißbrot oder Brötchen
80 g Butter
1/4 bis 1/2 l Milch
5 Eier
2 EL gehackte Petersilie
Salz,
1/4 TL Muskatnuss frisch gerieben
1 mittlere Zwiebel
1 EL Butter
2 EL Mehl
1,5 l Fleischsuppe

Knödelzubereitung

Das Brot in kleinere Würfel schneiden, in Butter leicht anrösten. Milch mit den Eiern verquirlen, zunächst etwas weniger als angegeben verwenden, ggf. später noch dazu geben, über das Brot gießen. Petersilie, Salz und Muskatnuss hinzufügen. Zwiebel klein hacken und in Butter anrösten, ebenfalls dazu geben, eine halbe Stunde alles stehen lassen. Abschließend Mehl untermischen und kleine Knödel formen. Reichlich Salzwasser zum Kochen bringen, die Knödel einmal kurz aufkochen und dann 15 Min. ziehen lassen. Vor dem Servieren in die heiße Fleischsuppe legen.

Tipp für ungeübte KnödelzubereiterInnen: Bevor man alle Knödel in das kochende Wasser gibt, macht man mit einem Exemplar den Versuch. Sollte er auseinanderfallen, noch etwas Mehl untermischen.

Dessertzubereitung

Dessert: ***Lady in red***

6 Eier, getrennt in Eigelb und Eiweiß
300 g Zucker
1/4 l Rotwein
11 Blatt rote Gelatine
2 Becher süße Sahne
Schoko-Deko-Blätter
1 Päckchen Eiswaffeln

Eigelb mit Zucker und Weißwein schaumig schlagen. Die Gelatine nach Vorschrift auflösen und unter die schaumige Masse geben, kühl stellen, bis sie anfängt zu stocken. Sahne steif und Eiweiß zu Schnee schlagen. Vorsichtig diese Masse unter die erstarrende Creme heben und in Gläser füllen.

Oben drauf die Schoko-Deko-Blätter legen sowie 1 Eiswaffel.

's Gschichtle

Türkische Spezialitäten sind uns allen inzwischen vertraut. Wir gehen gern in türkische Restaurants, und wen der Hunger plagt, der kann an der Ecke einen leckeren Kebab verzehren. Seit Jahren bin ich in einen Freiburger türkischen Laden heimisch und bestelle Lammkeulen, kaufe Wurst und spezielle Gemüse oder Hülsenfrüchte, z. B. rote Linsen.
Die Frau des Inhabers und ich tauschen leckere Kochrezepte aus. Hier ihr Festessengeheimtip, im Orient heißt das Mahl Rhebab.

Vorspeise: **Frühlingssuppe mit Eierstich nach Agnes**

Hauptspeise: **Lammschnitten mit Pilaw-Reis - (*Rhebab* genannt).**

Dessert: **Schwarzwaldmädel küsst Traumprinzen**

Vorspeise: ***Frühlingssuppe mit Eier***

1 Suppenhuhn
1 Bund frische Möhrchen
1 neuen Sellerie
2 Petersilienwurzeln
2 Stangen Lauch
1 Bund Frühlingszwiebeln
250 g neue Kartoffeln
1 Strauß Petersilie
Salz, schwarzer Pfeffer
Hühnerbrühe instand

Für den Eierstich:
5 Eier
1/8 l Milch
1/2 TL Kräutersalz
1 gestrichener
1/2 TL Muskat, frisch gerieben

Zubereitung S. 48

Vorspeisenzubereitung

Zuerst den Eierstich zubereiten. Die Eier mit der Milch, Kräutersalz und Muskat verquirlen, nicht schlagen. Masse in einen Kochbeutel füllen, gut verschließen. Das Suppenhuhn ca. 1 1/2 Std. in 2 Litern leicht gesalzenem Wasser zusammen mit der Eierstichmasse im Beutel kochen. Eierstichbeutel kann nach 50 Minuten entfernt werden. Er sollte nach 25 Minuten auf die andere Seite gedreht werden. Fertige Eimasse aus dem Kochbeutel herausnehmen, auf einen flachen Teller legen, beiseite stellen.

Währenddessen die Gemüse vorbereiten. Möhrchen putzen, waschen, klein schneiden, ebenso Petersilienwurzeln, Sellerie, Lauch, Frühlingszwiebeln. Die neuen Kartoffeln sollten nur gebürstet und gewürfelt werden. Wenn das Hühnerfleisch weich gekocht ist, herausnehmen. Die Gemüse wie folgt in die Brühe geben: Kartoffelwürfel ca. 5 Min. kochen, danach miteinander Möhrchen, Sellerie, Petersilienwurzel, Lauch, Frühlingszwiebeln. Alles zusammen ca. 6 Min. kochen, probieren. Die Gemüse und Kartoffeln sollten bissfest sein. Während das Gemüse kocht, Hühnerfleisch von den Knochen lösen, Haut entfernen, dann das Fleisch klein schneiden und in die Gemüsesuppe geben, mit Salz und schwarzem Pfeffer abschmekken. Den Eierstich in Scheiben schneiden, in die Suppe geben, nochmals kurz heiß werden lassen, nicht mehr kochen, mit Instand-Hühnerbrühe abschmekken und vor dem Servieren die gehackte Petersilie darüber streuen.

Hauptspeise: *Lammschnitten mit Pilaw-Reis*

1200 g Lammfilet
1 frische Knoblauchknolle
Olivenöl,
Salz, bunter Pfeffer aus der Mühle
1/2 l trockener Weißwein
1 TL Speisestärke

500 g Langkornreis
2 TL Kräutersalz
2 Msp. Safranfäden
3 EL abgezogene Mandeln
1 EL Butter
300 g grüne feine Erbsen frisch oder tiefgefroren
1/2 TL Salz

Hauptspeisenzubereitung

Den Reis in einen Messbecher schütten und sich den Messstrich merken. Dann Reis in ein anderes Gefäß geben und jetzt die 1 1/2 fache Menge Wasser abmessen und in einem Topf mit Kräutersalz, 1 EL Olivenöl und den Safranfäden zum Kochen bringen.
Wenn es kocht, Reis hineingeben, kurz aufwallen und auf kleinster Flamme ca. 15 Min. ausquellen lassen, nicht umrühren.
In der Zwischenzeit die feinen Erbsen, wenn sie frisch sind, in wenig Wasser und Salz erhitzen, wenn sie tiefgefroren sind, kurz aufkochen. Mandeln in Butter goldgelb rösten und zu den Erbsen geben.
Sobald der Reis fertig gegart ist, wird beides zusammengemischt, vorsichtig unterheben, heiß stellen.
Die Lammfilets werden abgespült und getrocknet. Knoblauch schälen, die einzelnen Zehen in kleinste Scheibchen schneiden. Olivenöl in eine Pfanne geben, geschnittenes Knoblauch sanft und kurz anbraten, herausnehmen.
Die Lammfilets von beiden Seiten ca. 4

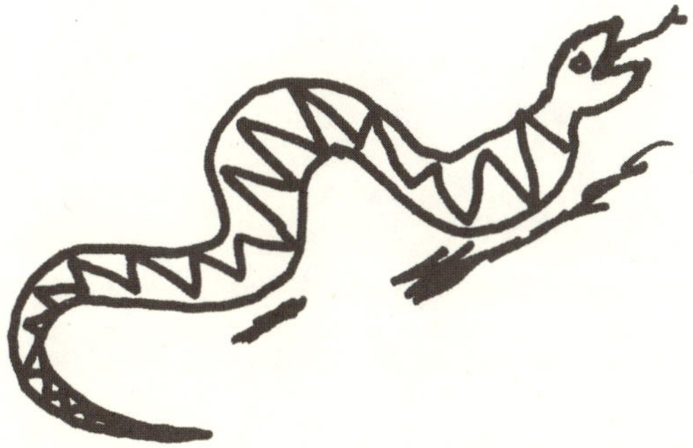

Min. anbraten. Nach dem Braten mit Salz und Pfeffer bestreuen, herausnehmen, warm stellen. Das angebratene Knoblauch wieder zurück in die Pfanne geben, mit Weißwein ablöschen, mit Speisestärke andicken und mit Salz und Pfeffer würzen. Abschließend das Fleisch sternförmig in die Mitte einer vorgewärmten Platte geben und den Pilaw Reis rings herum dekorieren. Die Knoblauchsoße wird über das Fleisch gegossen. (Merke: Die mit Wein aufgefüllte Soße ist eine Variante der Köchin. Ein gläubiger Moslem würde dafür Wasser nehmen.)

Dessertzubereitung

300 ml Milch und 200 ml Sahne mit dem Schokoladenmousse steif schlagen und in Gläser füllen, 1 Stunde kalt stellen.
Während dieser Zeit Kirschen kurz auf ein Sieb schütten, Saft auffangen. Kirschen in eine Schüssel geben und 150 ml Schwarzwälder Kirschwasser darüber geben, umrühren. Abgedeckt stehen lassen.
Nun das Vanillemousse mit restlicher Milch und Sahne in gleicher Weise zubereiten, über die Schokoladencreme verteilen. Wieder 1 Stunde kalt stellen. Danach die Kirschen auf der Vanillecreme gleichmäßig verteilen und je Dessertglas noch 2 EL vom abgetropften Kirschsaft darüber geben. Vor dem Servieren mit der Sprühsahne einen „dicken Kuss" oben aufsprühen, eine Kirsche zur Dekoration in die Mitte und an jeden Rand ein Duplo legen, zuvor Papier entfernen.

Dessert: *Schwarzwaldmädel küsst Traumprinzen*

600 ml Milch
400 ml süße Sahne
2 P Schokoladenmousse Dr. Oetker
2 P Vanillemousse Dr. Oetker
1 Glas Sauerkirschen
Sprühsahne
1 P Duplo

(Oase in der algerischen Wüste)

's Gschichtle

Als meine beste Freundin und ich vor unserem Studium Nordafrika bereisten, besuchten wir auch die Oase El Oued in Algerien. Außerhalb des Ortes stießen wir auf eine Nomadenfamilie und hatten das große Glück, von ihnen zu einem Festessen eingeladen zu werden. Wir wurden zum Frauenzelt geleitet. Der Duft eines wundervollen Menüs ließ uns das Wasser im Mund zusammenlaufen. Im Frauenzelt verstanden wir uns auf Anhieb - mit ein paar Brocken Französisch und viel Gestik - blendend. Ein Berg Couscous wurde auf einer Platte in die Zeltmitte gestellt, daneben eine Schüssel mit Fleisch und Gemüse. Nachdem wir uns in den Frauenkreis auf den Boden eingereiht hatten, beobachteten wir, wie diese ihre Köstlichkeit verspeisten. In die aufgeschichtete Couscous-Burg wurden von unten her kleine Stollen gebohrt. Man achtete darauf, dass diese Burg möglichst lange stehen blieb. Mit drei Fingern der rechten Hand nahm man sich den Couscous und danach Fleisch mit Gemüse. Zwischendurch wurde heißer Pfefferminztees getrunken.
Wir werden nie diese großartige Gastfreundschaft vergessen.

Vorspeise: Forelle in Gelee

Hauptspeise: Couscous mit Lammfleisch

Dessert: Schleckermäulchen, Nusscreme mit Himbeer-Sahne

Vorspeise: Forelle in Gelee

3 frische, küchenfertige Forellen von je 250 g
Salz, 1 Tasse heißen Essig
1 l Wasser
1 Tasse trockenen Weißwein

Für das Gelee:
8 Blatt weiße Gelatine
3/8 l Fischsud
1/4 l Weißwein trocken
Salz, weißer Pfeffer, Zwiebelpulver
6 kleine Gewürzgurken
1 Röhrchen Kapern
3 hartgekochte Eier
3 halbe eingelegte Paprikaschoten
1 kleine Dose Krebsfleisch (70 g)

Zubereitung S. 52

Vorspeisenzubereitung

Forellen waschen, halbieren, salzen, auf eine Platte legen und mit dem heißen Essig übergießen.
Wasser in einem großen Topf mit Weißwein aufkochen und Fische hineinlegen. Bevor die Flüssigkeit nochmals kocht, auf kleinste Flamme stellen und die Fische 20 Min. gar ziehen lassen, mit einem Schaumlöffel herausnehmen und kalt stellen. Gelatine für das Gelee in kaltem Wasser einweichen. Fischsud und Weißwein erhitzen, Gelatine hereingeben und auflösen, mit Salz, Zwiebelpulver und weißem Pfeffer würzen, kalt werden lassen.

In der Zwischenzeit die Gewürzgurken in Scheiben schneiden, Kapern und Paprikascheiben abtropfen lassen, Eier schälen, in Scheiben schneiden, die Paprikaschoten in Streifen, das Krebsfleisch in gleich große Stücke schneiden.
Nun wird eine große, flache Schüssel genommen und eine Schicht Gelee hineingegossen und ein Muster aus Gewürzgurkenscheiben, Kapern, Eierscheiben, Paprikastreifen und Krebsfleischstückchen gelegt. Darüber die kalt gewordenen Forellenhälften legen. Nochmals die Garnierzutaten nehmen und dekorativ drum herum legen und das restliche Gelee darüber gießen. Im Kühlschrank erstarren lassen, vor dem Servieren 6 Portionen, in Scheiben geschnitten, auf Glastellern anrichten.

Hauptspeise: *Couscous mit Lammfleisch*

800 g Couscousgrieß
200 ml Salzwasser
2 TL Olivenöl

Für den Lammfleischtopf
1 Lammkeule, 2,0 kg
1 Sellerieknolle, 6 Möhren
3 Stangen Lauch, 3 rote Paprika
3 Auberginen, 4 Zucchini
500 g geschälte Tomaten
250 g Poichiches (Kichererbsen)
5 Zwiebeln, 2 Knoblauchknollen
Olivenöl
Lorbeerblatt, Rosmarin,
Senf, Thymian,
Salz, Cayennepfeffer
Raz-el-Hanut (ist ein Spezialgewürz, git es in arabischen Geschäften)
Johannisbeergelee
etwas Honig,
200 g Rosinen in lauwarmes Wasser einweichen
2,5 l trockenen Rotwein

Hauptspeisenzubereitung

Man verwendet für die Zubereitung am besten eine Couscoussiere, das ist ein bauchiger großer Topf, der in der oberen Hälfte einen Siebeinsatz für den Couscous (grobkörniger Weizengrieß) hat. Der Couscousgrieß muss vorbereitet werden. Dazu nimmt man ein Backbrett und breitet ihn darauf aus. Er wird mit dem Salzwasser und anschließend mit Öl beträufelt . Den Grieß zwischen den Händen reiben, sodass kleine Kügelchen entstehen, mit den eingeweichten und abgetropften Rosinen vermischen und in das Sieb der Couscoussiere füllen, beiseite stellen.

Sollten Sie den Spezialtopf nicht haben, kaufen Sie im türkischen Laden Couscousgrieß, Zubereitungshinweis steht auf der Verpackung, die Rosinen ebenfalls dazu geben.

Das Fleisch salzen, mit Senf dick bestreichen, Olivenöl im Topf erhitzen und zusammen mit gewürfelten Zwiebeln, Knoblauchzehen, Rosmarin ca. 20 Min. ringsherum anbraten und mit Rotwein (-Variante der Köchin, Araber nehmen Wasser!) auffüllen. Sellerie, Karotten, Tomaten, Kichererbsen und Lorbeerblatt dazu geben. Das Sieb mit dem Couscous und Rosinen über Fleisch und Gemüse hängen und mit dem Deckel gut verschließen, bei kleiner Flamme kochen lassen. Nach 15 Min. weitere Gewürze dazu geben, Salz nach Geschmack, Thymian, Cayennepfeffer, Raz-el Hanut (die letzten beiden Gewürze zunächst in kleinen Mengen verwenden, sind scharf!). Nach und nach immer etwas Rotwein dazu geben. Die restlichen Gemüse zwischendrin waschen, schneiden und zum Schluss je nach Kochzeit hinzufügen, nämlich so, dass sie nicht zu weich werden. Die Gesamtgarzeit beträgt ca. 2,5 Stunden. Wenn das Fleisch weich ist und die Gemüse bissfest gekocht, nimmt man die abschließende Würzung vor. Jetzt nehmen Sie 1/2 Glas, oder mehr Johannisbeergelee und etwas Honig und rühren beides in die Fleisch-Gemüsesoße.

Falls Sie es gern sehr scharf haben, so würzen Sie noch mit Cayennepfeffer und Raz-el-Hanut nach. Das leckere Gericht sollte scharf und süß schmecken.

Dessertzubereitung

Walnusskerne mahlen. Die gemahlenen Nüsse, Eigelb und Zucker mit dem Zauberstab schaumig schlagen, drei EL kalte Sahne einträufeln. Nun den 1/4 ! Sahne zum Kochen bringen und vorsichtig unter die Nussmasse heben. Jetzt die Masse bis zum Kochen erhitzen, aber vor dem Kochen vom Herd nehmen.
Eiweiß zu steifen Schnee schlagen und unter die Nussmasse heben.
Die Creme in Schalen füllen und minimum 1 Stunde kaltstellen.
Die Himbeeren in eine Schüssel geben, tiefgefrorene erst auftauen lassen und mit Zucker süßen, aufpassen, dass sie nicht zermatscht werden. Den Vanillezucker in die süße Sahne geben und steif schlagen. Die Himbeeren vorsichtig untermischen und die Sahnemischung über die kalte Nusscreme geben. Vor dem Servieren jedes Dessertglas mit den einzelnen Walnusskernen dekorieren.

Dessert: ***Schleckermäulchen-Nußcreme in Himbeersahne***

125 g Walnusskerne
6 Eigelb
250 g Zucker
3 EL süße Sahne
1/4 l süße Sahne
6 Eiweiß
12 einzelne Walnusskerne
300 g Himbeeren frisch oder tiefgefroren
3 EL Zucker
300 ml süße Sahne
2 Päckchen Vanillezucker

's Gschichtle

Wir die in Freiburg Ansässigen sind in der glücklichen Lage, innerhalb kürzester Zeit ins schöne Elsass fahren zu können. Schon nach etwa einer halben Stunde sind wir auf der französischen Seite des Rheins.

Die verträumten mittelalterlichen Städtchen und Dörfer sind nicht nur kulturhistorisch einmalig, auch die elsässische Küche bietet Gaumenfreuden, die Genießerherzen höher schlagen lassen. Quiches und Tartes, eine Art Kuchen aus pikantem Mürbeteig, gehören zu den Spezialitäten, die ihren Ursprung in Lothringen haben.

Vorspeise: **Champignoncremesuppe**

Hauptspeise: **3 verschiedene Quiches**
Lachs-Broccoli-,
Schinken-Porree- und
Gemüse-Kräuter-Quiche

Dessert: **Glutrote Sonne**
auf Eis und
Schnee

Vorspeise: ***Champignon cremesuppe***

400 g frische Champignons
1 Zwiebel
40 g Butter
3 EL gesiebtes Mehl
1,5 l Fleischbrühe, Fertigprodukt
Pfeffer, Salz
2 Eigelb
100 ml Sahne
1 EL Zitronensaft
gehackte Petersilie

Vorspeisenzubereitung

Champignons waschen, putzen und in feine Scheiben schneiden, die Zwiebel in kleine Würfel. Butter zerlassen und Zwiebel sowie Champignons darin dünsten.

Das Mehl darüber stäuben, dabei gut umrühren und nach und nach die Fleischbrühe hinzugeben, alles 15 Min. kochen lassen und mit Salz und Pfeffer würzen. Eigelb und Sahne miteinander verquirlen und in kleinen Mengen der nicht mehr kochenden Suppe zufügen, abschließend den Zitronensaft hineingeben. Vor dem Servieren nur noch heiß werden lassen, nicht mehr kochen und die gehackte Petersilie darüber geben.

Hauptspeise: *3 Quiches*

Für 1 Quiche nehmen Sie:
250 g Mehl
1/2 TL Salz
125 g Butter in Flöckchen
1 Ei

Alle 3 Quiches können aus Mürbteig hergestellt werden. Das erleichtert bei mehreren Sorten die Arbeit.

Mürbeteigzubereitung

Mehl, Salz, Butterflöckchen und Ei mit einem Knethaken eines Handrührgerätes und dann mit den Händen schnell zu einem kompakten Teig verarbeiten. Eine Kugel forme, in Alufolie 1 Stunde im Kühlschrank ruhen lassen.
Diese Menge reicht für eine Quiche-, Pie- oder Springform, Durchmesser 24 - 26 cm.

Lachs-Quiche

250 g Brokkoliröschen
3 Eier
150 g Kräuterfrischkäse
1 Becher Schmant
Salz, frisch gemahlenen bunten Pfeffer
1 TL Fett für die Form
200 g gewürfeltes Lachsfilet

Zubereitung

Backofen auf 200° vorheizen, Broccoliröschen kurz in kochendem Wasser blanchieren, gut abtropfen lassen. Eier mit Frischkäse und Schmant verquirlen, mit Salz und Pfeffer abschmecken.

Teig ausrollen, in eine gefettete Quicheform legen und den Rand hochziehen. In den Teigboden mehrfach einstechen und 10 Min. vorbacken. Broccoliröschen und Lachswürfel auf dem Teig verteilen, Käse-Ei-Mischung darüber gießen und weitere 30 Min. backen.

Schinken-Porree-Quiche

1 Mürbteigrezept
1 kg Porree
60 g Butter
150 g Lachsschinken
150 g Creme fraiche
3 Eier
150 g gerb. Emmentaler Käse
Salz, Pfeffer, Muskat
1 EL Butterflöckchen

Mürbteigrezept wie links zubereiten. Backofen vorheizen. Porree in Ringe schneiden, gut waschen, in kochendes Salzwasser mit 30 g Butter geben, 8 Min. kochen lassen, auf ein Sieb schütten und gut abtropfen lassen. Teig ausrollen, Quicheform damit auslegen, wie beschrieben verfahren. Ebenfalls 10 Min. vorbacken. Den Lachsschinken in Würfel schneiden in der restlichen Butter leicht anbraten, auf dem Teigboden verteilen und darüber den Porree. Nun Eier, Käse, Creme fraiche miteinander gut verquirlen, mit Salz, Pfeffer und Muskat würzen, über den Porree gießen. Den Quiche mit Butterflöckchen belegen und 30 Min. backen.

Gemüse-Kräuter-Quiche

1 Mürbteigrezept
1 TL Fett für die Form
250 g fr. Spinatblätter
250 g Salatblätter
1 EL Butter
2 mittelgroße Zwiebeln
1 große Tasse gehackte, gemischte Kräuter (Petersilie, Dill, Thymian, Majoran)
1/2 TL Knoblauchsalz, Muskat frisch gerieben
125 g ger. Gouda
2 Eier
100 ml süße Sahne
1 Msp. Salz

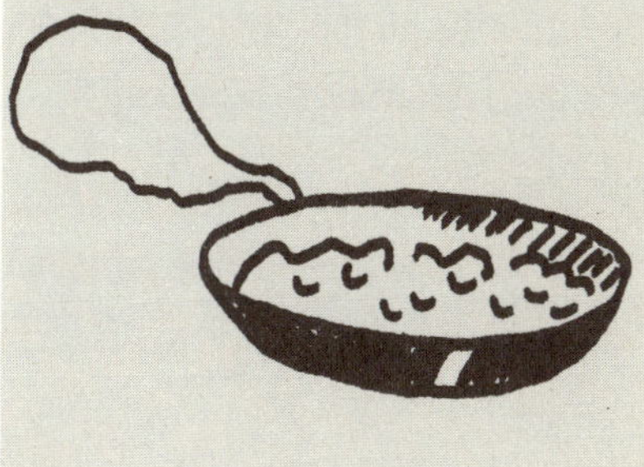

Zubereitung Quich 3

Den Mürbteig zubereiten, wie gehabt, in die gefettete Quicheform geben, ausrollen, Rand hochziehen, Teigboden einstechen. Backofen auf 220° vorheizen, Teig 10 Min. vorbacken. Salat- und Spinatblätter in der Butter mit 2 EL Wasser ganz kurz dünsten (bis sie zusammenfallen), mit Schaumlöffel herausnehmen, in eine Schüssel geben. Zwiebeln klein schneiden und mit den Kräutern zusammen vorsichtig unter die Salat-/Spinatblätter heben. 1 EL Kräuter zurückbehalten. Alles mit den Gewürzen abschmecken, auf dem Teigboden verteilen und den geriebenen Gouda darüber streuen. Eier, Sahne, Salz, Muskat gut verrühren und die Masse gleichmäßig darüber gießen, abschließend mit den restlichen Kräutern bestreuen, 30 bis 40 Min. backen.

Auf jeden Teller von den verschiedenen Quiches 1 Stück legen und heiß servieren.

Dessert: *Glutrote Sonne auf Eis und Schnee*

800 g Quark 0,2% von Exquisa
Saft von 1 Zitrone
5 EL Zucker
2 P Zitroneneis von Mövenpick
1 P Kirscheis, Mövenpick
Sprühsahne
1 P Eiswaffeln

Quark in eine Schüssel geben, mit Zitronensaft und Zucker gut verrühren, in 6 Eisbecher füllen. Vor dem Servieren des Desserts auf den Quark je 3 Kugeln Zitroneneis und darüber 1 Kugel Kirscheis geben. Zwischen die Zitroneneiskugeln Sahneröschen spritzen, abschließend 1 Eiswaffel an den Rand legen.

's Gschichtle

In Südspanien gibt es ein Dörfchen mit dem Namen Carrion de los Cespedes. Dort waren meine Freundin und ich eingeladen, Milagros, ihren Verlobten und ihre Familie kennen zu lernen. Sie war eine rassige und fröhliche junge Frau. Wir wurden zunächst der Großfamilie vorgestellt. Alle zeigten sich erfreut über unseren Besuch. Gleich nach unserer Ankunft bat uns das Familienoberhaupt, mit ihnen zur Plaza (dem Dorfplatz) zu gehen. Wir spazierten gemeinsam mit der Familie auf und ab und alle grüßten freundlich. Nachdem jeder im Dorf uns begutachtet hatte, gingen wir zurück ins Haus, und Milagros kochte für uns das pikant-köstliche Hackfleischgericht mit Früchten. Es ist ein Gedicht!

Vorspeise: **Australischer Cocktail mit Weintrauben, Williams-Christbirnen und Käse**
Hauptspeise: **Hackfleisch mit Früchten - *Carne con frutas***

Dessert: **Amaretto-Krönung**

Vorspeise:
Australischer Cocktail

600 g helle, kernlose Weintrauben
2 Dosen Williams-Christbirnen
300 g Schweizer Emmentaler Käse - gewürfelt
6 Salatblätter
250 g Joghurt (Natur)
150 g süße Sahne

3 EL Cashewnüsse
3 EL Tomatensoße mit Chili
3 EL vom Birnensaft
Salz
weißer Pfeffer aus der Mühle

Vorspeisenzubereitung

Die gut gewaschenen Weintrauben halbieren.

Birnen gut abtropfen lassen, in Scheiben schneiden.

Beide Obstsorten mit den Cashewnüssen vermischen. Aus Joghurt, süßer Sahne, Chili-Tomatensoße und Birnensaft Marinade herstellen.
Gut verquirlen und mit Salz sowie weißem Pfeffer pikant abschmecken, über die Früchte mit den Nüssen gießen und unterheben. Die gewaschenen, gut abgetropften Salatblätter auf 6 Glasschalen verteilen und gleichgroße Portionen vom fertigen Cocktail drauflegen.

Hauptspeise: ***Hackfleisch mit Früchten***

800 g Rinderhackfleisch
6 große Zwiebeln
6 große Tomaten
6 EL Olivenöl
Salz, bunter Pfeffer aus der Mühle
Curry
1/2 l heiße Fleischbrühe aus Würfeln
1/2 l trockener Weißwein
2 kg Kartoffeln
6 Pfirsichhälften aus der Dose
10 frische, entkernte, blaue Pflaumen,
oder zuvor eingeweichte, getrocknete Pflaumen
3 EL Sultaninen

Zubereitung

Zwiebeln schälen, halbieren und in Streifen schneiden. Tomaten häuten halbieren, Stängelansätze herausschneiden und achteln. Olivenöl in eine große Pfanne geben und Zwiebeln darin goldgelb rösten. Tomaten und Hackfleisch dazu geben, mit Salz, buntem Pfeffer und Curry pikant würzen und 10 Min. schmoren lassen, dabei gelegentlich umrühren. Nun mit heißer Fleischbrühe und Weißwein ablöschen, 20 Min. köcheln lassen. Derweil Kartoffeln schälen, waschen, in 1 cm große Würfel schneiden, über die Hackfleischmischung geben und unterheben. Das Ganze ca. 15 bis 20 Min. auf kleiner Flamme weiter köcheln lassen, gelegentlich umrühren und darauf achten, dass die Kartoffeln nicht zu weich werden oder anbrennen. Pfirsichhälften abtropfen lassen und in dickere Scheiben schneiden, Pflaumen halbieren.

Fortsetzung S. 61

Fortsetzung von S. 60
Die Früchte werden zusammen mit den gewaschenen und abgetropften Sultaninen in den Topf gegeben. Alles sollte noch kurze Zeit miteinander ziehen, nicht mehr kochen, nochmals abschmecken. Es sollte scharf und leicht süß schmecken. Heiß servieren.

Dessert: *Amaretto-Krönung*

6 Eigelb
1 Prise Salz
150 g Zucker
2 EL frischen Orangensaft
4 Blatt weiße Gelatine
1/8 l Amaretto-Likör
6 Eiweiß
400 ml süße Sahne
Amaretti-Plätzchen zum Garnieren
Sprühsahne

Dessertzubereitung

Eigelb mit der Prise Salz verrühren. Nach und nach den Zucker hinzufügen und schaumig rühren, dabei den Orangensaft hineinträufeln. Gelatine nach Anweisung auflösen und unter die Eigelbmasse rühren. Alles kräftig schlagen und dabei langsam den Amaretto-Likör hinzugeben. Jetzt die Creme kalt stellen. Eiweiß und Sahne steif schlagen. Nachschauen, ob die Eigelbmasse zu stocken beginnt, dann sofort Sahne und Eischnee unterziehen und in 6 Dessertgläser füllen, 1 Stunde in den Kühlschrank stellen. Vor dem Servieren mit den kleinen Amaretti-Plätzchen die Gläser garnieren und dazwischen mit der Sprühsahne Röschen setzen.

's Gschichtle

Wer in die Schweiz fährt, wird immer auch Zürich mit dem Zürichsee kennen lernen wollen. Schon 1986 feierte die Stadt ihr 2000 jähriges Bestehen.
Die Züricher Küche wird als städtisch-herrschaftlich und ländlich bäuerlich zugleich beschrieben. Was den Norddeutschen ihre Kartoffeln, den Tirolern ihre Knödel, das sind den Schweizern ihre Rösti. Röstirezepte sind unglaublich variabel. Für die Fantasie von Köchen gibt es keine Grenzen. Das „Züri-Gschnätzlets" ist nicht nur europaweit bekannt, es ist ein lukullisches „highlight".

Vorspeise: Chinakohlsalat mit gegrilltem Schweinebraten

Hauptspeise: Züricher Geschnetzeltes mit Rösti nach Art der Züricher Landfrauen

Dessert: Schokoladenquark mit Eierlikör

Vorspe ise: *Chinakohl mit gegrilltem Schweinebraten*

600 g frischer Chinakohl
300 g gegrillter Schweinebraten in Scheiben (von der Wursttheke)
150 g Mandelstifte
80 ml Weißweinessig
4 EL Olivenöl
1/2 TL Kräutersalz
1 Msp. frisch gemahlener weißer Pfeffer
1 Sträußchen gehackte Petersilie

Hauptspeise: *Züricher Geschnetzeltes*

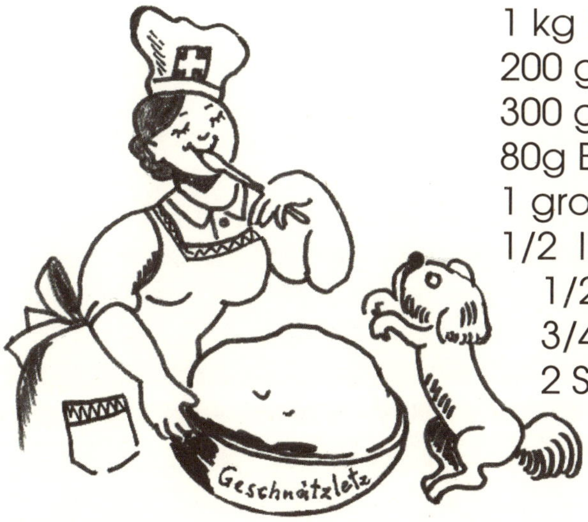

1 kg Kalbfleisch aus der Keule
200 g Kalbsniere
300 g frische Champignons
80g Butter
1 große, feingehackte Zwiebel
1/2 l Bratensoße (Fertigprodukt)
1/2 l süße Sahne
3/4 l Weißwein
2 Sträußchen gehackte Petersilie
Salz,
bunter Pfeffer aus der Mühle

Vorspeisenzubereitung

Chinakohl in einzelne Blätter teilen, waschen, gut abtropfen lassen und in feine Streifen schneiden. Schweinebratenscheiben in ebenso dünne Streifen schneiden. Mandelstifte in einer beschichteten Pfanne ohne Fett leicht anrösten, abkühlen lassen. Eine Salatsoße von Essig, Olivenöl, Kräutersalz und Pfeffer herstellen. Den Salat mit Schweinebraten, Mandelstiften und Petersilie in eine Schüssel geben und die Salatsoße darüber gießen. Alles gut mischen und mindestens 30 Min. stehen lassen. Während der Zeit mehrfach mischen, damit die Soße gut durchzieht. Abschließend auf 6 Glasteller verteilen.

Zubereitung

Das gesamte Fleisch in Streifen schneiden, Butter in Pfanne erhitzen und die Kalbsniere anbraten, herausnehmen, warm stellen, Kalbfleisch anbraten, herausnehmen und auch warm stellen.

Jetzt die Champignons in dem Fond anbraten und etwas dämpfen. Die Butter zergehen lassen und die gehackte Zwiebel weich dünsten, mit Weißwein ablöschen und die Fleischstücke sowie Pilze wieder hinein geben. Abschließend die Bratensoße untermischen, mit den Gewürzen pikant abschmecken und nochmals im Backofen auf kleiner Flamme ca. 10 - 20 Min schmoren. Probieren, ob alles schön weich ist. Abschließend die süße Sahne, die halbsteif geschlagen wurde, unterheben und die Petersilie darüber geben, sofort servieren.

Rösti

1,5 kg Pellkartoffeln, schon am Vortag bissfest kochen und schälen
100 g Speck
1 EL Butter
1 Stange Lauch, in Ringe geschnitten, blanchiert und erkaltet
200 g Butter
Salz, Pfeffer

Die Pellkartoffeln vom Vortag mit der groben Raspelscheibe der Küchenmaschine reiben, Speck in kleine Würfelchen schneiden und mit 1 EL Butter anbraten. Geriebene Kartoffeln, geschnittenes Lauch und abgekühlte Speckwürfel in eine Schüssel geben, salzen, pfeffern und alles gut durchmischen. Aus der Masse 2 Kugeln formen. Eine gusseiserne Pfanne nehmen, deren Boden eine sehr gute Gleitfläche hat. Die Hälfte der Butter darin auflösen und eine Kugel des Röstigemisches hineingeben, mit einem Bratenwender zu einem Fladen an den Pfannenboden drücken, Boden sollte gleichmäßig bedeckt sein. Goldgelb braten, dann wenden und genauso verfahren. Die Flamme klein stellen, damit die Rösti nicht anbrennen. Bei der zweiten Kugel das Gleiche machen. Am besten schmecken die Rösti aus der Pfanne. Früher stellte man sie in Tischmitte und aß gemeinsam davon. Sie können auch einen Anlegelöffel hineinlegen, und jeder nimmt sich seine Portion auf den Teller.

Dessert: ***Schokoladenquark mit Eierlikör***

500 g Quark
200 ml süße Sahne
1 Päckchen Vanillezucker
125 ml Schokoladensoße,
Classic von Schwartau
100 ml Vollmilch
1 P Quarkfein,
Vanille Dr. Oetker
1/8 l Eierlikör
Sprühsahne
Eierlikör

Zubereitung

Süße Sahne mit Vanillezucker steif schlagen. 250 g Quark in Rührschüssel geben, Schokosoße darüber geben, gut verrühren, geschlagene Sahne unterheben, in 6 Eisgläser füllen, kalt stellen. In einer weiteren Schüssel Quarkfein und Milch schlagen, anschließend mit den 250 g Quark verrühren, vorsichtig über die Schokocreme schichten, damit man beide Sorten nicht vermischt. Nochmals kalt stellen. Vor dem Servieren werden auf jeden Becher, über die Vanilleschicht 2 - 3 EL Eierlikör gegeben und mit der Sprühsahne die abschließende Verzierung gespritzt.

's Gschichtle

Ein Mann namens Helmut war ein bekannter Politiker. Er beschloss deshalb nach Moskau zu fahren um seinen Freund Michael zu treffen. Sie wollten miteinander weltbewegende Dinge verhandeln. Für ein gutes Gelingen war für beide Genießer eine ausgezeichnete Speisekarte vonnöten. Man sah diesen Männern ihre Lust auf gute Speisen an, besonders Helmut liebte deftige Mahlzeiten. Das ließ sich der Koch nicht zweimal sagen und bereitete alpenländisch-russische Köstlichkeiten zu. Michael sprach zu Helmut: „Du sollst heute das bekommen, was Deines Namens würdig ist!"

Vorspeise: Gemüse-Obst-Salat aus Bozen

Hauptspeise: Moskauer Kohlpastete und Schweinebraten

Dessert: Bayerische Vanillecreme mit Kirschen

Vorspeise: *Gemüse-Obst-Salat aus Bozen*

2 Bund frische Möhrchen
3 kleine, junge Knollen Sellerie
5 säuerliche Äpfel
1 Honigmelone
1 Zitrone

Für die Soße

200 ml Rotweinessig
4 EL gutes Öl
1/2 TL Zucker
1/2 TL Salz
weißer Pfeffer aus der Mühle
1 Becher Sauerrahm
zum Garnieren

Vorspeisenzubereitung

Die Möhrchen schaben, waschen, in Stifte schneiden, den Sellerie schälen, ebenfalls in Stifte schneiden. Beide Gemüse miteinander in 1/2 Tasse kochendes, leicht gesalzenes Wasser geben, 2 Minuten kochen, sollte bissfest bleiben. Abtropfen und kalt werden lassen. Äpfel schälen, Kerngehäuse entfernen, in gleichgroße Stücke wie Gemüse schneiden, mit Zitrone beträufeln, beiseite stellen. Melone halbieren, Kerne mit einem Esslöffel entfernen. Die Hälften vierteln und dann achteln. Schale entfernen. Alle Stücke auf einen Teller legen, nochmals in der Mitte und dann quer schneiden, ca. 3 cm dick. Dabei schauen, dass der Saft auf dem Teller bleibt, sollte mit verwendet werden.

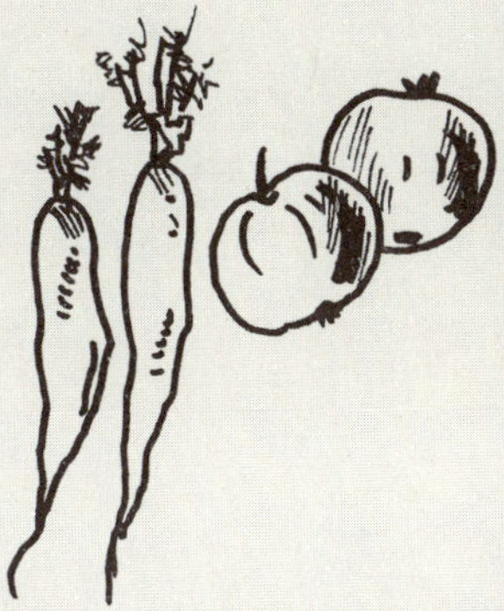

Die Zutaten für die Soße miteinander vermischen. Möhrchen, Sellerie, Äpfel, Honigmelone in Schüssel geben und Soße darüber gießen, unterheben. Alles mindestens 1/2 Stunde zum Durchziehen stehen lassen, gelegentlich mischen. Abschließend nochmals nachwürzen und auf 6 Glasteller verteilen. Mit je 1 EL Sauerrahm garnieren.

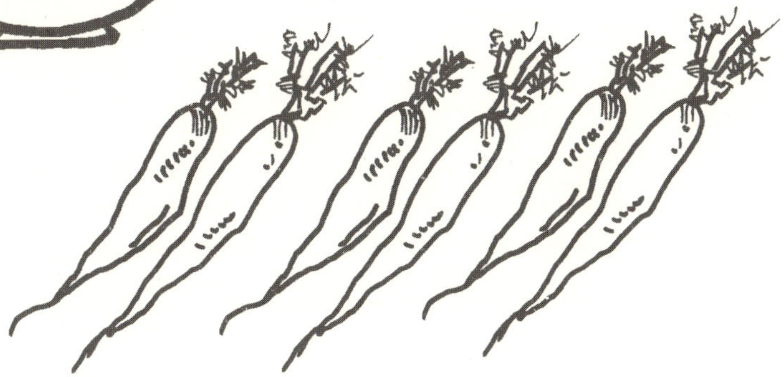

Zubereitung Hauptgericht

Zutaten S. 68

Backofen auf 180° vorheizen. Kohl vierteln, vom Strunk befreien, in Streifen schneiden. Wasser mit dem Salz zum Kochen bringen, den Kohl 5 Min. darin kochen, herausnehmen und abtropfen lassen. Zwiebeln würfeln, Butter in einem Topf zerlassen und Zwiebeln hellgelb anrösten, den Kohl dazu geben sowie 1/4 l Wasser, zugedeckt im Backofen mit kleiner Flamme ca. 40 Min. garen.

Nun den Pastetenteig herstellen. Dazu Mehl auf eine Arbeitsplatte sieben, in der Mitte Mulde drükken. Butter in Flocken schneiden, in die Mulde geben und Salz darüber streuen. Das Ei und 4 EL Wasser auf die Butter geben und die Masse mit der Hand mischen. Alles zu einem geschmeidigen Teig verarbeiten, wenn nötig, restliches Wasser nach und nach hinzugeben. Der Teig sollte schnell hergestellt werden, da er sonst leicht rissig wird. Teig zu 2 dünnen Platten ausrollen, diese an den Rändern glatt schneiden. Teigreste für Verzierung beiseite tun. Eine der Platten auf ein gefettetes Backblech legen.

Fortsetzung von S. 65

Von dem inzwischen fertigen Kohl die restliche Flüssigkeit verdampfen und abtropfen lassen. Backofentemperatur auf 220° schalten. Eier hacken und zusammen mit den Gewürzen und frischen Kräutern unter den Kohl mischen. Die Masse auf den Teigboden verteilen und die zweite Teigplatte darüber legen, ein Loch in die Mitte schneiden. Pastete mit den Teigresten verzieren und mit Eigelb bestreichen, 15 min. kalt stellen. Abschließend 30 Min. bei mittlerer Hitze backen.

Bratenzubereitung

Fleisch unter kaltem Wasser abspülen, trocknen, mit Salz einreiben. Schwarte rautenförmig einschneiden, in die Fettpfanne legen, mit der Hälfte des kochenden Wassers übergießen. Fettpfanne auf mittlere Schiene des vorgeheizten Backofens schieben. Bei 220° ca. 1,45 Stunde brutzeln lassen. Hin und wieder mit dem Fond übergießen.
Zwiebel schälen und achteln. Suppengrün putzen, waschen, abtropfen lassen, in Würfel

Hauptspeise: *Moskauer Kohlpastete und Schweinebraten*

Zubereitung re. Sp. S. 67

1 kg Weißkohl,
1 TL Salz
3 Zwiebeln
3 EL Butter
3 hartgekochte Eier
3 EL klein geschnittener Dill
2 EL gehackte Petersilie
1 1/2 TL Salz
1/2 TL Zucker
1/2 TL weißer Pfeffer
zum Bestreichen: 2 Eigelbe,
Butter für das Backblech

Für den Pastetenteig:
600 g Mehl
300 g Butter
1 1/2 TL Salz
8 bis 12 EL Wasser
1 Ei

Für den Braten:
1 kg magerer Schweinebraten
aus der Keule
1/2 l kochendes Wasser, Salz
1 Zwiebel
1 Bund Suppengrün
1 Lorbeerblatt, 4 Pfefferkörner
1 TL Kümmel
8 Knoblauchzehen
1 EL Speisestärke
weißer Pfeffer aus der Mühle

schneiden. Nach einer Stunde Bratzeit das Suppengrün, Zwiebel, Gewürze, zerdrückte Knoblauchzehen in die Fettpfanne geben und mit dem restlichen Wasser begießen. Wenn der Braten fertig ist, aus dem Ofen nehmen und auf einer vorgewärmten Platte warm stellen. Fond durch ein Sieb streichen, mit Wasser auf 1 1/2 l auffüllen. Die in wenig Wasser verquirlte Speisestärke mit dem Fond aufkochen und nachwürzen, kräftig mit weißem Pfeffer abschmecken.
Die Soße sollte getrennt vom Fleisch gereicht werden. Sie kann ebenso für die Kohlpastete genommen werden.

Dessert: ***Bayerische Vanillecreme mit Kirschen***

6 Eigelb
125 g Zucker
500 ml Milch
2 Päckchen Vanillezucker
1 Vanilleschote
6 Blatt weiße Gelatine
400 ml süße Sahne
1 Glas Sauerkirschen
6 Moncherie-Kirschpralinen
Sprühsahne

Dessertzubereitung

Eigelb mit Zucker schaumig rühren. Vanillezucker aus den Päckchen und Vanilleschote zusammen mit der Milch zum Kochen bringen. Den Topf mit der gekochten Milch in ein Wasserbad stellen und die Eigelbmasse hineingeben, schlagen, bis sie zu einer dicken Creme geworden ist. Aufpassen, dass sie nicht mehr kocht. Gelatine in Wasser einweichen und ausdrücken, in der Creme auflösen. Wenn die Creme zu stocken beginnt, die geschlagene Sahne unterziehen und in 6 große Gläser füllen. Die Sauerkirschen gut abtropfen lassen. Wenn die Creme steif ist, auf dieser vorsichtig die Kirschen verteilen, vor dem Servieren mit Sprühsahne verzieren und auf jedes Glas eine Moncherie- Kirsche legen.

's Gschichtle

Die Vorspeise klingt französisch. Es handelt sich dabei um den Namen eines berühmten Pariser Spezialitätenrestaurants, das in Paris die Feinschmecker erfreute. Sein erster Besitzer hat dieses Rezept kreiert. Unser Gschichtle jedoch dreht sich hauptsächlich um Henriette Davidis, die von 1800 bis 1876 lebte und in Sprockhövel, in der Nähe von Dortmund, als Tochter eines evangelischen Pfarrers und einer holländischen Mutter geboren wurde. Sie veröffentlichte ein „Praktisches Kochbuch", in dem dieses Rezept vorkommt. Der hervorragende Eintopf muss uns nicht spanisch vorkommen, er ist urdeutsch. Das Wort Fricco bedeutet soviel wie Frikassee.

Vorspeise: Seezunge Marguery

Hauptspeise: Spanisch Fricco

Dessert: Omas Grießflammeri mit Früchten

Vorspeise: *Seezunge Marguery*

Für den Sud:

Je 1/8 l Wasser und Weißwein
1/2 Lorbeerblatt, Salz
2 Schalotten
30 g Butter
6 Seezungenfilets
Saft einer halben Zitrone, Salz
1 kleine Dose Muscheln
1 kleine Dose Krabben
2 EL Speisestärke
2 EL Milch
1 Eigelb

Vorspeisenzubereitung

Wasser, Wein, Lorbeerblatt mit etwas Salz in einem Topf 10 Min. sprudelnd kochen lassen. Lorbeerblatt heraus nehmen. Zwischendrin Schalotten schälen und fein würfeln. Butter in einem großen ovalen Topf erhitzen. Zwiebeln darin glasig braten. Seezungenfilets waschen, trocknen, mit Zitronensaft beträufeln und salzen. Filets auf die Zwiebeln legen, mit dem heißen Sud begießen, zudecken, bei schwacher Hitze 10 Min. ziehen lassen. Nach 5 Min. die abgetropften Muscheln und Krabben auch in den Topf geben. Wenn die 10 Min. vorbei sind, die Seezungenfilets vorsichtig mit einem Schaumlöffel aus dem Sud nehmen, abtropfen lassen, in eine vorgewärmte Schüssel legen, warm stellen, zudecken. Speisestärke in einer Tasse mit 1 EL Sud verrühren, in den Sud gießen und zum Kochen bringen. Einmal aufkochen, damit die Speisestärke bindet. Milch und Eigelb in einer Tasse verrühren, den Topf vom Herd nehmen und die Tasse mit der Eigelbmasse hinein gießen, legieren. Abschließend abschmecken und über die Seezungenfilets gießen. Sofort servieren.

Hauptspeise: *Spanisch Fricco*

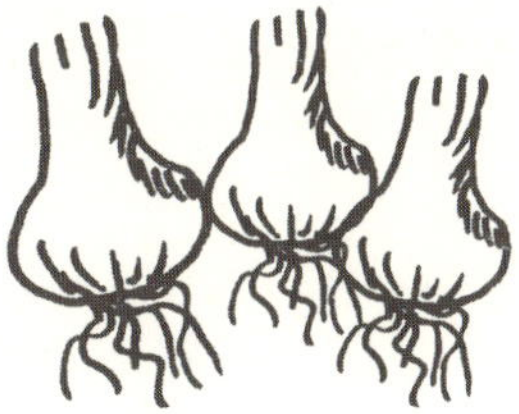

400 g Rindfleisch
400 g Schweinefleisch,
beides aus der Keule
8 EL Öl
Salz, schwarzer Pfeffer aus der Mühle
1 gestrichenen TL Paprika rosenscharf
1/4 l heiße Fleischbrühe aus gekörnter Brühe
1 Lorbeerblatt
5 Zwiebeln
1,5 kg Kartoffeln
Margarine zum Einfetten
1/4 l saure Sahne
60 g Butter

Zubereitung

Fleisch unter fließendem Wasser abspülen und trocknen, in 2 cm große Würfel schneiden. 4 EL Öl in einem Brattopf erhitzen, Fleisch darin ca. 5 Min. ringsherum scharf anbraten. Würzen mit Salz, Pfeffer und Paprika, heiße Fleischbrühe dazugießen. Lorbeerblatt reingeben. Hitze reduzieren und 20 Min. schmoren lassen.
Derweil Zwiebeln und Kartoffeln schälen, waschen und beides in dünne Streifen schneiden. Restliches Öl in einer Pfanne erhitzen, Zwiebeln darin goldgelb braten. Eine feuerfeste größere Form nehmen, mit der Margarine einfetten und die Zutaten lagenweise schichten. Sie beginnen mit Fleisch, Kartoffeln und Zwiebelstreifen. Die Kartoffeln sollten, nachdem sie geschichtet sind, gesalzen und gepfeffert werden. Den Abschluss bildet eine Kartoffelschicht. Saure Sahne darüber gießen, Butterflöckchen darauf setzen, nochmals kräftig mit Pfeffer aus der Mühle bestreuen und mit Alufolie fest verschließen, in den Backofen stellen. Die Garzeit beträgt ca. 70 bis 75 Min. bei mittlerer Hitze (halber Flamme).

Dessertzubereitung

Milch unter Beigabe von Vanillezucker aufkochen lassen und Zucker sowie Salz hineingeben. Den Grieß sehr vorsichtig, unter ständigem Rühren, in die kochende Milch hinein rieseln lassen. (Er darf keine Klümpchen bilden.) Auf kleiner Flamme ca. 5 bis 8 Min. köcheln lassen, bis er quillt, dabei immer wieder umrühren.

Topf von der Herdplatte nehmen, prüfen, dass nichts mehr kocht, und zügig das Eigelb unterrühren. Gleich danach den Grießbrei in 6 Dessertschüsselchen füllen, die vorher mit kaltem Wasser ausgespült wurden. Wenn der Flammeri erkaltet ist, kann man ihn auf 6 Dessertteller stürzen.

Daneben den Fruchtsalat dekorieren, den Sie aus den Saisonfrüchten hergestellt, gezuckert und mit einem Schuss Orangelikör versehen haben. Abschließend den Flammeri mit Sprühsahne und mit einem Obststückchen, z.B. 1 Erdbeere verzieren.

Dessert: *Omas Grießflammeri mit Früchten*

Frische Obstsorten der Saison,
z.B. Erdbeeren, Himbeeren,
Birnen, Kirschen
1 l Milch
2 Päckchen Vanillezucker
80 g Zucker
1 Prise Salz
130 g Grieß
2 Eigelbe
1 Schuss Orangenlikör
Sprühsahne

's Gschichtle

Brigitte ist eine Feinschmekkerin und mag neben vielen Avocado-Rezepten diese Vorspeise besonders. Martinez, ein Ceylonese, kam in den siebziger Jahren über Umwege nach Freiburg. Er war ein junger, fröhlicher Zeitgenosse und hatte sich seine Überfahrt verdient, indem er auf dem Schiff als Koch arbeitete. Dieses hervorragende Menü durften wir bei ihm genießen. Noch ein Wort zum Mango-Chutney: Es wird in kleinen Mengen zu indisch/ceylonesischen Gerichten serviert. Man kann es herb, scharf, süß oder pikant herstellen. Es regt jedenfalls den Appetit an.

Vorspeise: **Avocados, wie Brigitte sie mag**

Hauptspeise: **Schweinefilet nach Martinez mit Mango-Chutney und Basmati-Reis**

Dessert: **Prinzenbirne mit Geist**

Vorspeise: ***Avocados, wie Brigitte sie mag***

6 reife Avocados
60 ml Limonensaft
600 g reife Erdbeeren
6 TL Mazola Öl
6 TL schwarzen Pfeffer aus der Mühle
türkisches Fladenbrot

Limonen waschen, halbieren, auspressen.

Vorspeisenzubereitung

6 flache Glasschalen nebeneinander stellen. Avocados abwaschen, in der Mitte durchschneiden, Kerne und Schalen entfernen. Je eine Avocado in dickere Scheiben schneiden, mit Limonensaft beträufeln und auf einen Teller

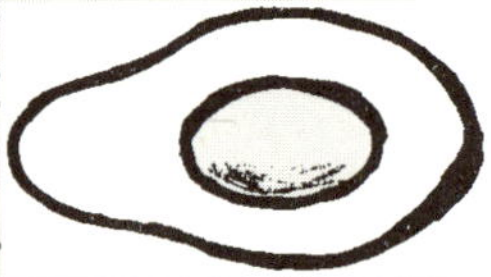

legen, dass der Boden damit bedeckt ist. Mit allen Avocados in gleicher Weise verfahren. Erdbeeren waschen, gut abtropfen

lassen, in Scheiben schneiden und je Teller die gleiche Menge auf die geschnittenen Avocados häufeln. Die Avocado-scheiben sollten ringsherum noch zu sehen sein. Je Teller 1 TL Öl über die Früchte träufeln, und 1 TL schwarzen Pfeffer darüber streuen. Sofort servieren.

Hauptspeise: *Schweinefilet nach Martinez mit Mango-Chutney*

Für das Schweinefilet:

1 kg Schweinefilet
350 g frische Sojabohnenkeimlinge
7 EL Reiswein
1/2 TL Salz
1 Msp. Zucker
1/2 TL Ingwerpulver
7 TL Speisestärke
7 EL Sojasoße
7 Frühlingszwiebeln
8 EL Öl

Für die Currysoße:

4 EL Öl
5 EL Currypulver
5 EL Reiswein
10 EL Fleischbrühe
2 TL Speisestärke

Sojasoße mit Reiswein, Salz, Zucker, Ingwer und Speisestärke verrühren. Gewaschenes und trocken getupftes Schweinefilet in hauchdünne Scheiben schneiden und 20 Min. in der Soße marinieren. Die Frühlingszwiebeln in Streifen schneiden. Sojabohnenkeimlinge waschen und abtropfen lassen. Öl in einem Wok oder einer großen Pfanne erhitzen und die Fleischscheiben darin unter mehrfachen Wenden 5 Min. braten und herausnehmen. Frühlingszwiebeln und Sojabohnenkeimlinge in gleicher Weise 2 - 3 Min. im verbliebenen Öl braten. Nun Fleisch mit Gemüse im Wok mischen. Für die Soße Öl erhitzen, nicht zu heiß, Curry einrühren und mit Reiswein und Brühe aufgießen. Soße mit eingerührter Speisestärke binden. Abschließend Soße über das Fleisch gießen und mischen.

Reisbeilage:
500 g Basmatireis
1 TL Salz
1 EL Öl

Reiszubereitung

Reis in einem Gefäß abmessen. Die eineinhalbfache Menge Wasser mit Salz und Öl zum Kochen bringen. Reis hinein schütten, einmal aufkochen und ca. 15 Minuten auf kleiner Flamme ausquellen lassen.

Für Mango-Cutchney:
1 große, reife Mango
2 frische Chilischoten
2 TL Speisestärke
1/4 TL Kurkuma, gemahlen
Salz,
100 g Rohrzucker
1 TL schwarze Senfkörner
2 getrocknete Chilis

Mangozubereitung

Mango schälen (s. Kamerun-Rezept), in 1/2 cm dünne Streifen schneiden. Frische Chilis waschen, putzen, fein schneiden (aufgepasst, nicht mit Ihren Händen in Augennähe kommen!). Speisestärke mit 2 EL Wasser verrühren, stehen lassen.

Fortsetzung: Mangozubereitung

In einen Topf 1/4 L Wasser füllen, Kurkuma und Salz zum Kochen bringen. Mangostreifen und frische Chilis dazu geben. Bei mittlerer Hitze etwa 20 Min. kochen lassen, bis die Mangostreifen weich sind. Dann die Temperatur erhöhen und Chutney noch 5 Min. kochen lassen, Zucker untermischen, angerührte Speisestärke reingießen, aufkochen lassen. In einer kleinen Pfanne Öl erhitzen, Senfkörner und getrocknete Chilis dazu geben, kurz anrösten, abschließend alles gut vermischen, bis zum Servieren kalt stellen. Nach dem Abkühlen geliert das Chutney noch etwas nach.

Noch einen Tipp für diese Beilage: Man kann sie gut sehr zeitig zubereiten. Dazu füllt man das gekochte Chutney heiß in Marmeladengläser und stellt diese kühl. Sie bleiben mehrere Wochen haltbar. Zum Verschließen nur Deckel verwenden, die nicht metallisch sind.

Dessertzubereitung

Williams-Christbirnen auf ein Sieb schütten, abtropfen lassen, in eine Schüssel geben, mit Birnenschnaps übergießen, mindestens 1 Stunde abgedeckt stehen lassen, gelegentlich umrühren. Milch, Sahne und Cremepulver mit dem Zauberstab zu einer Creme verarbeiten, in 6 Eisbecher füllen, 1 Stunde kalt stellen. Abschließend die Birnen aus dem Schnaps nehmen und vorsichtig obenauf legen, mit Raspelschokolade garnieren. Den von den Birnen übrig geblieben Schnaps darüber träufeln. An den Rand jedes Glases noch eine Hanutawaffel legen, nachdem vorher das Papier entfernt wurde.

Dessert: Prinzenbirne mit Geist

800 ml Milch
400 ml süße Sahne
4 P Stracciatella-Creme Dr. Oetker
1 Dose Williams-Christbirnen
100 ml Williams-Christbirnen-Schnaps
von Schladerer
Raspelschokolade von Schwartau
1 P Hanuta

's Gschichtle

Es war Frühling, und wir beschlossen, nach Griechenland zu reisen. Als wir Mystras erreichten, die mittelalterliche Ruinenstadt, ca. 5 km von Sparta entfernt, befanden wir uns in einer traumhaft schönen Landschaft. Das ganze Tal voller Blüten, ein unbeschreiblicher Duft, Stille, die einzigen Laute waren das Schnarren der Zikaden.

Wir gingen durch die Ruinen und atmeten Geschichte. Am späten Abend aßen wir Moussaka in einem kleinen Gasthof.

Vorspeise: **Bauernsalat mit Schafskäse**

Hauptspeise: **Moussaka aus Mystras**

Dessert: **Helenas-Eissorbet**

Vorspeise: *Bauernsalat mit Schafskäse*

1 knackiger Eisbergsalat
2 reife Orangen
3 säuerliche Äpfel (Boskop)
1 reife Avocado
Saft von 1 Zitrone
600 g Schafskäse
4 EL hellen Balsamico-Essig
4 EL gutes Olivenöl
1/2 TL Salz
weißer Pfeffer aus der Mühle
1 Bund Zitronenmelisse
2 Stängel glatte Petersilie

Vorspeisenzubereitung

Den gewaschenen und gut abgetropften Eisbergsalat in Streifen schneiden. Orangen schälen, Schnitzel halbieren. Äpfel schälen, Kerngehäuse entfernen, in Scheiben schneiden. Avocado halbieren, Schale und Kern entfernen, in gleichgroße Stücke wie Äpfel schneiden und beide, Apfel- und Avocadostücke mit Zitronensaft beträufeln. Alles in eine große Schüssel geben.
Mit dem Essig, Öl, Salz und weißem Pfeffer eine Salatsoße herstellen. Zitronenmelisse und Petersilie klein schneiden, auf den Salat geben. Die Soße darüber schütten und alles vorsichtig unterheben. Salat auf 6 Glasteller verteilen. Schafskäse in 6 gleichgroße Stücke schneiden. Dann jedes einzelne Stück nochmals kleiner schneiden und auf jeden Salatteller dekorieren. Abschließend nochmals weißen Pfeffer darüber streuen.

Hauptspeise: *Moussakka aus Mystras*

1,5 kg Auberginen
2 EL Salz
2 Zwiebeln
4 EL Öl
3 EL Bratfett
800 g Lammhackfleisch
1/8 Wermutwein
je 1 TL Salz und Zucker
1/2 TL schwarzer Pfeffer
aus der Pfeffermühle
1 Prise frisch geriebene Muskatnuss
1 TL Oregano
7 EL Semmelbrösel
600 g Fleischtomaten
150 g geriebenen Käse

für die Béchamelsoße:
200 g Butter
6 gestrichene EL Mehl
3/8 l Milch
3 Eier
je 1/2 TL Salz
weißer Pfeffer
aus der Pfeffermühle

Hauptgerichtzubereitung

Auberginen schälen, in dicke Scheiben schneiden, mit Salz betreuen, 60 Minuten ziehen lassen. Zwiebeln so klein wie möglich hacken. Auberginenscheiben abspülen, trocken tupfen, in Öl bissfest braten, beiseite stellen. Fett erhitzen. Hackfleisch mit den Zwiebeln anbraten. Wermut, 1/2 Tasse Wasser und Gewürze hinzufügen. Lammhackfleisch 10 Min. darin dünsten und mit Semmelbröseln mischen. Tomaten häuten, in dicke Scheiben schneiden. Eine feuerfeste Form mit Auberginenscheiben auslegen, mit Käse bestreuen, Fleischmasse darauf verteilen, so fortfahren, bis alle Zutaten verbraucht sind. Auf die letzte Fleischschicht legt man die Tomatenscheiben. Backofen auf 180° vorheizen. Béchamelsoße aus Butter, Mehl, Milch und Eiern, Salz und Pfeffer bereiten, über den Auflauf gießen und im Ofen ca. 60 Min. backen.

Dessert: *Helena-Eisssorbet*

1 P Zitroneneis (Mövenpick)
1 P Kirscheis (Mövenpick)
1 Flasche Rotkäppchensekt trocken
Sprühsahne
6 Strohhalme

Dessertzubereitung

Auf 6 Eisschalen abwechselnd je 3 Kugeln Zitroneneis und 3 Kugeln Kirscheis verteilen. Den Sekt darüber gießen und Sahneröschen an die Ränder spritzen. Sofort servieren. Außer einem Eislöffel, legt man jeder Schale noch einen Strohhalm bei.

's Gschichtle

Die größte der 7 Kanarischen Inseln, Tenerife, wie sie auf spanisch heißt, bezaubert besonders durch das vom Vulkanismus geprägte Landschaftsbild mit dem Teide obenauf, dem höchsten Berg Spaniens, 3718 m ü. d. M. Wenn man von seiner Spitze ringsum die Blicke schweifen lässt, so kann man versuchen, die 6 weiteren kanarischen Inseln zu erkennen, die im unendlichen Blau des Ozeans schemenhaft auftauchen. Die klimatischen Bedingungen sind über das gesamte Jahr durch warmes und gemäßigtes Wetter gekennzeichnet. Selbst in den heißen Sommermonaten ist durch den ständigen Passatwind immer eine angenehme Brise zu spüren. Wer sich am Leuchten der farbenprächtigen Blüten und grünen Gebirgshänge berauschen möchte, fliegt im Frühling dorthin. Für alle Genießer bietet die tenerifensische Küche" highlights" der besonderen Art.

Vorspeise: **Tenerifensischer Salat mit Früchten**
(*Tenerife - ensalada con frutas*)

Hauptspeise: **Mariniertes Wildkaninchen mit Runzelkartoffeln und Koriander- Soße**
(*Conejo en salmorejo y papas arrugadas con mojo* de cilantro*)

Dessert: **Tiramisu**
- nicht nur für Italiener eine Sünde wert.
Ins Deutsche übersetzt heißt es, **„Zieh mich hoch!"**

Übrigens, der Kanarienvogel hat seinen Ursprung auf den Kanaren!

*Mojo (sprich: Mocho) ist typisch kanarisch und bedeutet Soße. Man isst zu allen Speisen verschiedenste „Mojos", die aus frischen Kräutern, Gewürzen, Knoblauch, Käse etc. hergestellt sind.

Vorspeise: ***Ensalada con frutas - Bunter Salat mit Früchten***

1 knackig frischer Eisbergsalat
3 kleine Bananen
12 Pfirsichhälften
18 Cherrytomaten,
12 davon halbieren
6 ganz lassen,
beiseite stellen
2 rote Paprikaschoten

für die Marinade:
1/2 Tasse Himbeeressig
6 EL Olivenöl
1 Sträußchen Petersilie
bunter Pfeffer
Salz
1 Prise Zucker

Zubereitung

Alle Zutaten für die Marinade in eine Schüssel geben. Die Petersilie vorher klein hacken und mit dem Pfeffer, Salz und der Prise Zucker die Salatsoße pikant abschmecken.
Die Salatzutaten waschen, abtropfen bzw. trocknen, schneiden und auf die fertige Marinade geben. Alles vorsichtig unterheben, nochmals abschmecken und auf Glasteller verteilen Die beiseite gestellten Cherrytomaten als Dekoration obenauf legen.

Zubereitung

Das Kaninchen portionieren, in eine Glas- oder Steingutschüssel legen.

Marinade zubereiten, wie folgt: Oregano und Thymian zerkleinern, zusammen mit den Lorbeerblättern in ein Gefäß geben. Mit Wein, Essig übergießen, Salz hinzufügen, verrühren. Sud über die Kaninchenteile gießen. 24 Stunden an kühlem Ort stehen lassen.
Danach die Fleischportionen aus der Marinade, die beiseite gestellt wird, nehmen, Fleisch mit Küchenpapier trocken tupfen, in einem Bräter mit Olivenöl anbraten. Die Zutaten für die Soße zum Fleisch zerkleinern bzw. hacken, Gewürze hinzufügen, alles mit etwas Wasser mischen und auf das Fleisch geben. Die eingeweichte Pfefferschote mit einem Mörser zerstampfen. Bevor man das Ganze in den Backofen schiebt, mit Weißwein übergießen, und von der Marinade nur soviel hinzufügen, dass alle Fleischteile und Gemüse gerade mit Flüssigkeit bedeckt sind. Deckel auflegen und im vorgeheiztem Backofen bei kleiner Flamme ca. 1 Stunde köcheln lassen, nochmals abschmecken.

Hauptspeise: *Mariniertes Wildkaninchen mit Runzelkartoffeln und Koriander-Soße*

(*Conejo en salmorejo y papas arrugadas con mojo de cilantro*)

1 Wildkaninchen,
wahlweise Stallhase

für die Marinade:
0,75 ml trockenen Weißwein
4 EL Essig
1 gestrichener. TL Salz

für die Soße zum Fleisch:
1 Tasse Olivenöl
1 große Zwiebel
6 mittelgroße Tomaten
6 Knoblauchzehen
6 schwarze Pfefferkörner
1 Prise Safranfäden
1 rote Paprikaschote

1 getrocknete, rote Pfefferschote, die man einweicht

1/4 l trockenen Weißwein
1 TL gemahlenen, bunten Pfeffer
1/2 Lorbeerblatt
etwas Wasser

Papas arrugadas - Runzelkartoffeln
2 kg kleinere Kartoffeln, keine neue Ernte, sonst werden sie nicht runzelig.
2 Hände voll grobes, körniges Meersalz,
1 Kohlblatt.

Während die Kartoffeln garen, bereitet man die ***Koriander-Mojo*** zu.

1 Knoblauchknolle
2 Sträußchen Koriander
1 TL Kümmel
1 grüne Pfefferschote
3 EL Essig
10 EL Olivenöl
Salz nach Geschmack

Papas-Zubereitung: Die Kartoffeln sehr gut waschen, in einen Topf legen, nur soviel Wasser hineingeben, dass sie nicht ganz bedeckt sind. Salz hinzufügen und mit Kohlblatt abdecken. Wenn die Kartoffeln gar sind, das Kohlblatt entfernen, abgießen und über dem Feuer dämpfen. Nun sollten sie mit einer dicken, weißen Salzschicht bedeckt sein. Man isst sie ungeschält, indem man sie zerkleinert und die einzelnen Bissen in Mojo taucht.

Mojo-Zubereitung: Knoblauch schälen und klein hacken. Pfefferschote waschen, Samenkerne entfernen, in kleine Würfel schneiden. Beide Zutaten in die Mörserschale geben und zusammen mit Salz, Kümmel und dem zuvor gewaschenen und klein geschnittenen Koriander sehr gut mit dem Mörser zerstoßen. (Statt Mörser kann man auch den Pürierstab nehmen und alles feinstens zerkleinern.) Abschließend Öl und Essig unterrühren, sodass eine sämige Soße entsteht.

Dessert: *Tiramisu-Cremespeise mit Mascarpone*

500g Mascarpone
(italienischer Sahne-Frischkäse)
4 Eier
4 EL Zucker
4 EL Eierlikör
1 P Löffelbiskuits
1/4 l starken, schwarzen Kaffee, ungesüßt und kalt
Schokoladenpulver

Dessertzubereitung

Eier trennen. Dotter in eine Schüssel geben. Eiklar in eine zweite Schüssel tun. Dotter mit Zucker schaumig rühren. Darunter Mascarpone und Eierlikör mischen. Eiklar zu steifen Schnee schlagen und sehr vorsichtig unter die Masse heben. Löffelbiskuits einzeln in den Kaffee tauchen, aber nur kurz, sie dürfen sich nicht voll saugen. Die Biskuits nun auf den Boden einer flachen Glasschüssel dicht neben einander legen, bis zur Hälfte mit der Creme bedecken. Den Abschluss bildet eine dicke Schicht Schokopulver. Die Creme mindestens 2 Std. in den Kühlschrank stellen. Kurz vor dem Servieren ca.10 Minuten ins Tiefkühlfach. geben.

’s Gschichtle

zwei chinesische Freunde Tschü und Tong studierten in Freiburg. Wir erfuhren von ihnen einiges über die Menschen in dem fernöstlichen Riesenreich, ihre Kultur und Geschichte. Beiden danken wir auch den Genuss hervorragender Mahlzeiten, die sie vortrefflich zubereiten konnten. Funken der Begeisterung für die chinesische Küche werden sicher überspringen, wenn Sie diese köstliche Hauptspeise ausprobieren.

Vorspeise: **Champignon-Spargel-Salat, meine Art**

Hauptspeise: **Rindfleisch mit Bambussprossen (*Yü-Hsiang-Niv-Jou*) und Reis**

Beilage: **Kürbis-Ananas pikant**

Dessert: **Dolce vita unterm Kardinalshut**

Vorspeise: *Champignon-Spargel-Salat, meine Art*

500 g frische Champignons
100 g Butter, Salz
1 kg frischen Spargel,
wahlweise die gleiche Menge aus der Dose (Fruchteinwage beachten!)
für das Kochwasser
1/2 TL Zucker,
1 gestrichenen TL Salz
4 mittelgroße Tomaten

für die Marinade:
3 EL Weißweinessig
5 EL Öl
Salz, weißen Pfeffer aus der Mühle
1 Msp. Paprika rosenscharf
1 Bund krause Petersilie

Zubereitung re. Sp. S. 85

Hauptspeise: ***Rindfleisch mit Bambussprosse***
Yü-Hsiang-Niv-Jou

800 g Rinderfilet
3 Frühlingszwiebeln
2 Paprikaschoten
1 kleine Dose Bambussprosse
6 EL Öl
3 Knoblauchzehen
2 EL Tomatenketchup
6 EL Sojasoße
je 1/2 TL Salz und Cayennepfeffer
1/2 l Hühnerbrühe, instand
3 TL frisch gehackte Korianderblätter

Fleisch waschen, trocken tupfen, in feine Streifen schneiden. Frühlingszwiebeln fein hacken. Paprikaschoten in Streifen schneiden. Bambussprossen gut abtropfen lassen und klein schneiden. Öl in einem Wok erhitzen und

Frühlingszwiebeln darin glasig braten, heraus nehmen und beiseite stellen. Fleisch nacheinander Portionsweise in den Wok geben und bei starker Hitze unter Wenden jeweils 1 - 2 Minuten braun braten. Fertiges Fleisch heraus nehmen und warm stellen. Paprikaschoten und Bambussprossen im verbliebenen Öl 3 Minuten braten. Knoblauchzehen schälen und mit der Presse zerdrücken und dazu geben, 1 Minute mitbraten. Nun Fleisch, Gemüse, Frühlingszwiebeln mit der Hühnerbrühe, dem Tomatenketchup und Cayennepfeffer wieder hinein geben und alles noch 2 Minuten erhitzen. Vor dem Servieren mit den Korianderblättern bestreuen.

Vorspeisenzubereitung

Champignons waschen, putzen, in Scheiben schneiden, in der Butter ca. 10 Min. dünsten, wenig salzen und kaltstellen. Spargel schälen, in 5 cm große Stücke schneiden. Wasser zum Kochen bringen, nur soviel, dass der Spargel nachher gerade bedeckt ist, Zucker und Salz hineingeben. Spargel knapp 10 Min. kochen, abschütten, kalt stellen. Bei Dosenspargel, diesen abtropfen lassen und ebenfalls in 5 cm lange Stücke schneiden. Spargelspitzen zum Garnieren zurücklassen. Tomaten häuten, Stängelansätze großzügig herausschneiden, in Würfel schneiden. Die kalten Champignons und Spargelstücke mit den gewürfelten Tomaten in einer Schüssel vorsichtig unterheben. Marinade zubereiten und mit Paprika, weißem Pfeffer und Salz pikant abschmecken, über den Salat gießen. Nochmals vorsichtig mischen, im Kühlschrank mindestens 30 Min. kalt stellen, dann in 6 Gläser verteilen, mit Spargelspitzen und Petersilienstängeln garnieren.

Kürbis, Ananas pikant

400 g frischer Kürbis, süß-sauer zubereitet
oder aus der Konserve
1 große Dose Ananasscheiben
1/2 TL Chilipulver
bunter Pfeffer aus der Mühle
1 Prise Salz
2 TL Speisestärke

Kürbis-Zubereitung

Kürbis in mundgerechte Stücke schneiden, Ananasscheiben ebenfalls. Von beiden je 150 ml Saft nehmen, in einen Topf geben und mit angerührter Speisestärke andicken sowie mit Chilipulver, Salz und buntem Pfeffer abschmecken. Abschließend Ananas und Kürbisstücke nur darin erhitzen, nicht kochen.

500 g Reis
1 EL Öl
1 TL Salz

Reis-Zubereitung

Reis in einem Gefäß abmessen. Die eineinhalbfache Menge Wasser in einem Topf mit Salz und Öl zum Kochen bringen. Reis kurz darin aufwallen und 15 Min. ausquellen lassen.

Dessert: ***Dolce vita unterm Kardinalshut***

500 ml Milch
500 ml süße Sahne
Sahnepuddingpulver von Dr Oetker
1 große Dose Pfirsiche
oder 6 frische Früchte
1 P Erdbeereis von Mövenpick
1 Becher Schlagsahne

Dessertzubereitung

Milch und Sahne zum Kochen bringen, dann das angerührte Puddingpulver nach Anweisung hineingeben. Pudding in 6 Eisgläsern gleichmäßig verteilen, kaltstellen. Nach dem Erkalten auf jedes Glas einen frischen geschälten Pfirsich geben, vorher Kern entfernen, oder je zwei Hälften aus der Dose, nachdem man sie hat abtropfen lassen, aufeinander legen. Abschließend wird mit einem Eisportionierer je 1 Kugel Erdbeereis (Kardinalshut!) auf den Pfirsich gedrückt. Die freie Puddingfläche abschließend mit der geschlagenen Sahne mittels eines Spritzbeutels verzieren.

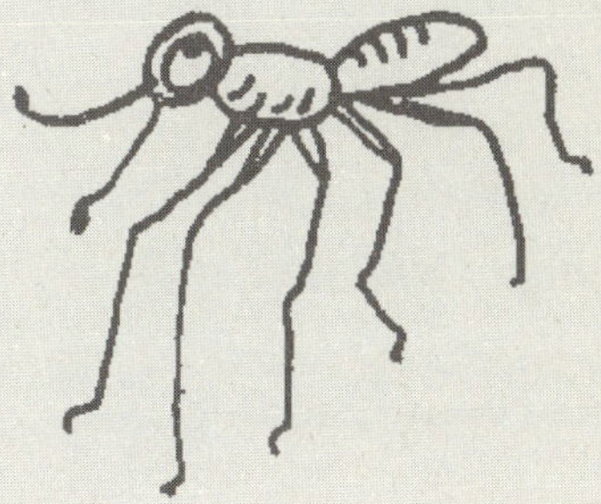

s Gschichtle

Rojelio, ein junger Priester aus Brasilien, kam Anfang der siebziger Jahre nach Freiburg, und zwar aus dem oben genannten Ort nahe der paraguayischen Grenze. Der zierliche Mann sprühte vor Temperament. Er wollte alles wissen und kennen lernen und war ein absolutes Sprachgenie. Nach wenigen Wochen vor Ort war sein Deutsch schon so gut, dass er eine Vorlesung an der Fachhochschule für Sozialarbeit hielt. Er wollte Deutschland hautnah erfahren. Deshalb begab er sich mit uns Studierenden nach wenigen Tagen seines Schwarzwaldaufenthalts auf die Freiburger Messe. Dort fuhr er mit mir gemeinsam Achterbahn. Als ich mit zitternden Knien und flauen Magen aus der Gondel kletterte, lachte er strahlend und begab sich zur nächsten Attraktion.

Vorspeise: **Gebundene Hühnersuppe**

Hauptspeise: **Bohnentopf mit Rinderzunge**
Feijoãda, Beilage Fladenbrot

Dessert: **Liebesnest**

Vorspeise: *Gebundene Hühnersuppe*

1 Suppenhuhn
Salz, Lorbeerblatt
1 Bund Suppengrün
2 Zwiebeln
6 Tomaten
4 Knoblauchzehen
2 EL Butter
5 EL Mehl
je 1/2 TL Cayennepfeffer und frisch geriebene Muskatnuss
6 Scheiben Baguettebrot
3 TL Butter

Zubereitung re. Sp. S. 89

Hauptspeise: ***Bohnentopf mit Rinderzunge - Feijoãda***
Beilage: ***Türkisches Fladenbrot***

600 g schwarze Bohnen
1 kg gepökelte Rinderzunge
1 TL schwarze Pfefferkörner
4 mittelgroße Zwiebeln

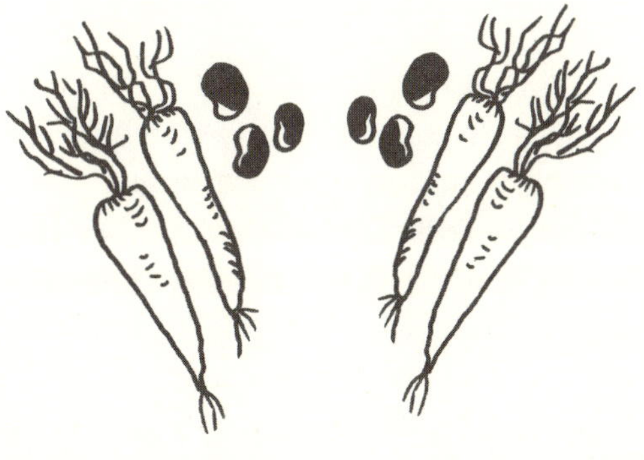

4 Möhren
1 Knolle Knoblauch
6 Tomaten
3 grüne Paprikaschoten
1/2 Kopf Weißkohl
3 geräucherte Schweinswürstchen
2 EL Schweineschmalz
Salz

Vorspeisenzubereitung

2,5 l Wasser zum Kochen bringen. Das gewaschene Huhn mit dem klein geschnittenen Suppengrün, Lorbeerblatt, Salz und den halbierten Zwiebeln ca. 2 Stunden kochen. Tomaten häuten, würfeln. Knoblauchzehen schälen, zerdrücken und beides in Butter sanft anbraten, Mehl darüber stäuben, so lange braten, bis es eine goldbraune Färbung hat. Nun mit Hühnerbrühe ablöschen und mit der Suppe auffüllen. Das Hühnerfleisch wird von Haut und Knochen befreit und in Streifen geschnitten, beiseite stellen. Suppe mit den Gewürzen pikant abschmecken. Baguettescheiben würfeln, in Butter knusprig braten. Vor dem Servieren wird das Fleisch hineingegeben, die Suppe erhitzen, nicht mehr kochen, in Suppentassen füllen und Brotwürfel darüber streuen.

Hauptgerichtzubereitung

Schwarze Bohnen mit Wasser bedeckt 12 Stunden einweichen. Rinderzunge ebenfalls 12 Std. wässern, das Wasser einige Male erneuern. Dann die Rinderzunge mit den Pfefferkörnern, den Bohnen und einer geschälten, halbierten Zwiebel in einen großen Topf geben. So viel Wasser zufügen, dass alles bedeckt ist, und zum Kochen bringen. 1 1/2 Stunde garen. Derweil Möhren schälen, längs vierteln, nach 1 Stunde mit zur Rinderzunge geben und mitkochen.

Restliche Zwiebeln würfeln, Knoblauchzehen schälen und hacken. Tomaten häuten, in Würfel schneiden, Paprikaschoten halbieren, Kerne und Rippen entfernen, würfeln. Weißkohl vom Strunk befreien, äußere Blätter, die welk sind, entfernen und den Kohl ganz fein schneiden. Die gare Rinderzunge häuten, in Scheiben schneiden, Zwiebelhälften entfernen. Schweinswürstchen im Bohnentopf erhitzen und in Scheiben schneiden. Zungen- und Würstchenscheiben auf den heißen Bohnentopf legen und

warm halten. Schweineschmalz in einer Pfanne zerlassen, Zwiebelwürfel darin glasig braten und nacheinander Knoblauch, Tomaten- und Paprikawürfel sowie den geschnittenen Weißkohl miteinander vermischen und anbraten. Zugedeckt bei kleiner Flamme 20 Minuten schmoren lassen. Angerichtet werden die Zungenscheiben, Würstchen und Möhren auf einer Platte. Die Bohnen sollten noch etwas Salz bekommen und sehen in einer Tonschüssel lecker aus. Das Gemüsegemisch mit Tomaten, Paprika und Weißkraut kann in der Pfanne auf den Tisch gestellt werden. Dazu kann man in Viertel geschnittenes türkisches Fladenbrot reichen.

Dessert: *Liebesnest*

750 ml Buttermilch
250 g Puderzucker
8 Blatt Gelatine
4 Limonen
500 ml süße Sahne
500 g frische Himbeeren
1 P Duplo
Sprühsahne

Dessertzubereitung

Süße Sahne schlagen, beiseite stellen. Buttermilch mit Puderzucker verrühren. Gelatine einweichen. Limonen auspressen, Saft erhitzen. Gelatineblätter ausdrücken und in Limonensaft geben. Alles miteinander glatt verrühren. Die geschlagene Sahne unterheben. In 6 Schalen verteilen und mehrere Stunden im Kühlschrank steif werden lassen. Duplo ebenfalls in den Kühlschrank legen. Vor dem Servieren nimmt man mit einem Esslöffel jeweils aus der Mitte der Schale eine Portion heraus und legt sie auf einen flachen Teller. Dabei sollte darauf geachtet werden, dass die Löffelform erhalten bleibt. In die Vertiefung werden die Himbeeren gegeben. Obenauf setzt man vorsichtig den herausgenommenen Löffel Creme. Abschließend werden die Duplo-Stangen von der Folie befreit und auf einem Brettchen mit einem scharfen Messer in 1 cm dicke Stücken geschnitten. Diese Stücke legt man um das Himbeernest herum. Alles mit Sprühsahne verzieren.

's Gschichtle

Wir beschlossen, Menschen, Kultur und die Lebensader Ägyptens, den Nil, kennen zu lernen. Das Flugzeug brachte uns von Frankfurt nach Hurghada, der Küstenstadt am Rote Meer.
Den zweitägigen Badespass an diesem Meer nutzten wir als Auftakt zum Akklimatisieren. Danach fuhren wir mit dem Bus zunächst nach Assuan, wo wir uns einschifften, um die Landschaft des Niltales zu genießen. Es ging vorbei an Elephantine, der Felseninsel im Nil, zum Botanischen Garten (Lord Kitchener Insel) und zum Mausoleum des berühmten Aga Khan. Zwischendurch wechselten wir auf eine Feluke, eines der kleinen Segelbote, die auf dem Nil enge Stellen befahren, da sie gut navigieren und Stromschnellen umschiffen können.
Alle weiteren Tage waren voller Spannung und immer neuen Eindrücken. Wir besichtigten den gewaltigen

Fortsetzung re. Sp. S. 93

Vorspeise: Linsensuppe mit Knoblauch (*Shurit Ads*)

Hauptspeise: Okra-Auflauf - *Bamia*

Dessert: Turmbau zu Babel

Vorspeise: Linsensuppe mit Knoblauch (*Shurit Ads*)

500 g rote Linsen
2,5 l Hühnerbrühe (frisch oder instand)
4 Zwiebeln
4 Tomaten
1 Knolle Knoblauch
2 EL Butter
1 TL Salz
1 TL bunter Pfeffer frisch gemahlen
2 TL Kreuzkümmel
12 Limonenviertel

Vorspeisenzubereitung

Die Linsen waschen und 1 Stunde einweichen. Hühnerbrühe nach Anweisung zubereiten, in einem großen Topf zum Kochen bringen. Zwiebeln schälen, zwei würfeln, beiseite stellen, 2 werden geviertelt. Tomaten häuten, vierteln, Knoblauch schälen, grob hacken. Nun werden diese Gemüsezutaten, außer den gewürfelten Zwiebeln, zusammen mit den Linsen, von denen man das Einweichwasser abgeschüttet hat, in die kochende Brühe gegeben. Das ganze wird ca. 1 Stunde auf kleiner Flamme gekocht (Deckel nicht ganz verschließen, kocht leicht über!). Die gewürfelten Zwiebeln werden in 1 EL Butter gebräunt. Wenn alles weich gekocht ist, wird die Mischung durch ein Sieb gestrichen und nochmals erhitzt. Abschließend mit Salz, Pfeffer und Kreuzkümmel würzen. Bevor man die Suppe serviert, wird die restliche Butter untergerührt und die gebräunten Zwiebelwürfel hineingegeben. Wenn Sie Ihren Gästen die Suppe ausgeschöpft haben, werden dazu die Limonenviertel gereicht.

Fortsetzung von S. 92

Staudamm Sad-el-Adi, die Philae-Tempel-Insel, sowie die antiken Granitsteinbrüche mit den unvollendeten Obelisken. Wie winzig wir uns doch an dieser Stelle vorkamen!

Zwei Tage in Luxor führten uns zum Tal der Könige, den Memnon-Kolossen und den weltberühmten Tempel der Hatschesput.
Die Fülle der täglich neuen und aufregenden Eindrücke für die Seele gingen einher mit denen kulinarischer Art. Den Höhepunkt eines ägyptischen Menüs genossen wir in den ersten Tagen unserer Kreuzfahrt. Ich habe es hier aufgeschrieben.

Auflaufzubereitung

Die Okras werden zunächst mit einem Tuch abgerieben, dann gut gewaschen und trocken getupft, Stiele abschneiden. Zwiebeln schälen, fein würfeln. Tomaten häuten, würfeln. 1 gehäutete Tomate beiseite stellen. Knoblauchzehen schälen, durch die Knoblauchpresse drücken. Die Hälfte des Öls erhitzen und die Okras 6 Minuten darin anbraten, herausnehmen und auf ein Küchentuch legen. Das Fett weggießen. Nun das restliche Öl, bis auf eine kleine Menge, erhitzen und Tomaten- wie Zwiebelwürfel darin anbraten. Jetzt das Hackfleisch hinzugeben und alles miteinander braun braten. Die heißgemachte Fleischbrühe, zusammen mit dem Knoblauch und Salz ebenfalls hinzufügen, gut umrühren. Alles schmoren lassen, bis die Flüssigkeit verdampft ist. Backofen auf 200° vorheizen. Abschließend Joghurt, saure Sahne und Pfeffer unter die Masse mischen. Die Auflaufform wird mit Öl gefettet und die halbe Fleischmischung eingefüllt. Darauf werden alle Okras verteilt und die restliche Fleischmasse darüber gegeben. Abschließend mit Öl beträufeln und 1 Stunde im Ofen backen. Bevor der Auflauf auf den Tisch gestellt wird, belegt man ihn mit der in Scheiben geschnittenen Zitrone und Tomate.

Hauptspeise: *Okra-Auflauf mit Rinderhackfleisch - Bamia*

1 kg Okra
3 große Zwiebeln
1 kg Tomaten
1 Knolle Knoblauch
150 ml Öl
1 kg Rinderhackfleisch
200 ml Fleischbrühe
1 TL Salz
je 150 ml Naturjoghurt
und saure Sahne
1 TL weißer Pfeffer frisch gemahlen
1 Zitrone
Öl für die Auflaufform

Okra ist ein typisch afrikanisches Gemüse, das äußerlich unseren Zucchinis ähnelt, an den Enden aber spitzer zuläuft und sich fester anfasst und kleiner ist. Sie bekommen es in größeren Supermärkten mit exotischen Gemüsen und Früchten.

Dessert: *Turmbau zu Babel*

Teig für 6 bis 8 Vanille-Waffeln:
500 g Mehl
375 g Zucker
2 Eier
2 Tassen süße Sahne
3 P Vanillezucker
Öl für das Waffeleisen

Vanillezuckermischung:
150 g Zucker
2 Vanilleschoten

für die Zwischenfüllung des Turmbaus:
500 g frische Erdbeeren
Zucker
750 ml süße Sahne
1 P Sahnetortenhilfe Dr. Oetker

Dieses Rezept ist etwas aufwendig, dafür aber ein unvergleichliches Genusserlebnis.

Die Vanilleschoten werden aufgeschnitten und das Mark mit einem Messer herausgekratzt, miteinander mischen.

Aus den angegebenen Zutaten den Teig rühren. Waffeleisen erhitzen und mit Öl bestreichen und 2 EL Teig auf das Waffeleisen geben, schließen. Die Waffeln sollten goldbraun gebacken werden. Wenn eine fertig ist, auf die heiße Waffel die Zucker-Vanillemischung streuen, erkalten lassen.

Zubereitung

Erdbeeren von den Blättern befreien, waschen, 6 schöne Früchte beiseite legen. Den Rest in Scheibchen schneiden, zuckern nach Geschmack. Die Sahnetortenhilfe nach Packungsanweisung mit der Sahne zubereiten. Erdbeeren dazu geben, mischen, in eine längliche, schmale Glasschüssel füllen und mehrere Stunden im Kühlschrank steif werden lassen. Wenn das geschehen ist, die Erdbeersahnemischung auf ein großes Brett stürzen.

Nun 6 erkaltete Waffeln nehmen und jede in einzelne Herzen trennen, pro Waffel erhält man deren 5. Auf einen Dessertteller ein Herz legen. Von der Erdbeermasse mit einem Messer eine Scheibe abschneiden und auf das Herz geben. Das nächste Herz darüber tun und so fortfahren, bis alle 5 Herzen auf einen Teller getürmt sind. Den Abschluss bildet eine Scheibe Erdbeersahnemischung mit einer der zurückgelegten ganzen Früchte, die in die Mitte gelegt wird. Die restlichen Dessertteller werden in gleicher Weise zubereitet.

's Gschichtle

Der Blick auf die Karte sagt uns, Kalabrien bildet die Spitze des italienischen Stiefels, und gegenüber dieser Fußspitze liegt fast wie ein Ball das große Inseldreieck Sizilien.
Wer einmal dort war und sich an dem intensiv leuchtenden Farbenspiel von Blüten und Früchten berauschte, wird diese Region Italiens mit den gegenüber liegenden Inseln öfter besuchen und näher kennen lernen wollen. Sollte man das Glück haben, in die Küche einer kalabrischen Mama eingeladen zu werden, dann wird man den Duft wilder Kräuter, sonnengereifter Tomaten, süßer Orangen und Olivenöl von jahrhundertealten Olivenbäumen schnuppern und es bedarf keiner Flügel mehr, um in den Genießerhimmel abzuheben. Dieses großartige Menü lässt sicher auch Ihre Gäste in mediterrane Sphären schweben.

Vorspeise: **Gefüllte Tomaten** ***(Pomodori alla siciliana)***

Hauptspeise: **Kalbsschnitzel in Marsala** ***(Scaloppine al Marsala)***
Gekräuselte Spiralnudeln mit Gemüse und Kapern ***(Fusilli alla siracusana)***

Dessert: **Heiße Kirschen auf gemischtem Eis**

Vorspeise: ***Gefüllte Tomaten - Pomodori alla siciliana***

6 große, reife Tomaten
2 EL Zitronensaft
1 Bund Petersilie
6 EL frisch geriebenen Pecorino
150 g eingelegte Sardinen
100 g schwarze Oliven
3 EL Kapern

2 große Zwiebeln
6 Knoblauchzehen
6 EL Semmelbrösel
8 EL Olivenöl
bunter Pfeffer aus der Mühle
Salz

Vorspeisenzubereitung

Tomaten waschen, unten am Stängel einen Deckel abschneiden. Mit einem Löffel vorsichtig das Fruchtfleisch heraus lösen und klein hacken. Tomaten innen leicht salzen und sie kopfüber auf ein Sieb legen, damit sie innen austropfen. Sardinen abtropfen lassen, klein schneiden, mit dem Zitronensaft beträufeln. Die Oliven vom Stein lösen und klein hacken, so auch die Zwiebeln, Knoblauchzehen und ein halbes Bund der Petersilie.

In einer Pfanne 2 EL Olivenöl erhitzen, Zwiebeln glasig dünsten. Knoblauch und Petersilie untermischen, sanft weiter braten. Dann zerkleinerte Sardinen und Tomatenfruchtfleisch unter Rühren hinzufügen, kräftig aufkochen, bis die Flüssigkeit völlig verdampft ist. Gehackte Oliven und Kapern untermischen, kurz mitgaren, jetzt mit Pfeffer und Salz abschmecken und Pfanne vom Herd nehmen.

Backofen auf 180° vorheizen, eine feuerfeste Form mit Olivenöl ausstreichen und die ausgetropften Tomaten mit der Öffnung nach oben hineinstellen. Eine kleinere Pfanne nehmen und 4 EL Olivenöl erhitzen, 4 EL Semmelbrösel darin anrösten, von der Flamme nehmen und 4 EL Pecorino dazu geben. Alles mit der Füllung mischen und die ausgehöhlten Tomaten damit füllen. Abschließend werden die restlichen Semmelbrösel und der Pecorino darüber gestreut und mit 2 EL Olivenöl beträufelt. Die Tomaten sollten 30 Min. im Backofen garen. Diese Vorspeise wird heiß gereicht.

Zubereitung

Kalbsschnitzel in der Mitte mit scharfen Messer halbieren, auseinander klappen, so dass man eine größere Fläche erhält. Fleisch vorsichtig dünner klopfen (stumpfes Holz dazu nehmen), leicht beidseitig pfeffern. Knoblauchzehen schälen und Butterschmalz in großer, schwerer Pfanne erhitzen. Knoblauch auf kleiner Flamme goldgelb anbraten und herausnehmen. Temperatur hochstellen und Schnitzel von beiden Seiten ca. 3 Minuten braten, auf eine vorgewärmte Platte legen, salzen und zugedeckt warm stellen. Fett aus der Pfanne entfernen und den Bratsatz mit Marsala ablösen, kräftig rühren. Eiskalte Butter in Stückchen schneiden, in der Soße auflösen. Abschließend die Soße pikant mit Pfeffer und Salz abschmecken, Schnitzel mit Knoblauchzehen hineingeben und vor dem Servieren nur noch heiß werden lassen.

Hauptspeise: *Kalbsschnitzel in Marsala - Scaloppine al Marsala*

6 große Kalbsschnitzel
3 EL Butterschmalz
300 ml trockenen Marsala
6 Knoblauchzehen
3 EL eiskalte Butter
Salz und
bunter Pfeffer aus der Mühle

Beilage: *Gekräuselte Spiralnudeln mit Gemüse und Kapern - Fussili alla siracusana*

1 große Aubergine, 300 g
2 gelbe Paprikaschoten
1 kg reife Tomaten
1 großes Bund Basilikum
80 g Caciocavallo-Käse,
wahlweise Pecorino,
vom Stück, selber reiben
6 eingelegte Sardellenfilets
100 g schwarze Oliven, o. Stein
3 EL Kapern
Knoblauchzehen
600 g Fusilli
8 EL Olivenöl
Salz
bunter Pfeffer aus der Mühle

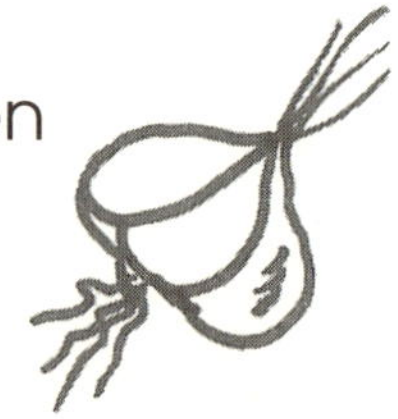

Zubereitung

Aubergine waschen, abtupfen, in 1 cm große Würfel schneiden, auf ein Sieb legen, mit Salz bestreuen und durchziehen lassen. Paprikaschoten halbieren, Kerne und Trennwände entfernen. Schotenhälften unterm Grill auf die Schnittfläche legen und anrösten, bis die Haut Blasen wirft, herausnehmen, mit einem feuchten Tuch die Haut bedecken. Diese dann abnehmen, auskühlen lassen und Schoten in kleine Stücke schneiden. Tomaten überbrühen und häuten, entkernen. Fruchtfleisch in kleine Würfel schneiden. Sardellenfilets abspülen, mit Küchenpapier trocknen, klein hacken. Oliven und Knoblauchzehen in Scheibchen schneiden.

Auberginenwürfel kurz abbrausen, auf Küchenkrepp legen und gut abtrocknen. In einem breiten Eisentopf die Hälfte des Olivenöls erhitzen und auf kleinerer Flamme unter rühren. Knoblauch sowie Auberginen anbraten, nicht zu dunkel werden lassen. Sardellenfilets und Tomaten untermischen, zunächst wenig salzen und pfeffern. Zudecken, 15 Minuten köcheln lassen. Derweil den Käse reiben, beiseite stellen.

In einem großen Topf Salzwasser zum Kochen bringen und die Fusilli bissfest garen. Währenddessen Paprika, Oliven, Kapern in die Soße rühren und mitgaren, bei offenem Topf. Wenn die Fusilli fertig sind, diese abschütten und das restliche Olivenöl untermischen. Abschließend die Gemüsesoße mit Salz und Pfeffer pikant abschmecken. Eine vorgewärmte Schüssel nehmen und Fusilli sowie Gemüsesoße miteinander mischen, mit Basilikumblättern und dem Käse bestreuen. Sofort servieren.

Zubereitung

Süße Sahne mit Vanillezucker steif schlagen, in einen Spritzbeutel geben. Sauerkirschen mit dem Saft in einen Topf schütten und erhitzen. Derweil Speisestärke mit Kirschwasser anrühren. Wenn die Kirschen kochen, sofort Speisestärke einrühren. Sobald die Masse sämig wird, Flamme abschalten.

6 große Eisgläser nehmen und in jedes je 2 Kugeln Vanilleeis, 2 Kugeln Kirscheis, 2 Kugeln Schokoladeneis geben. Darüber die heißen Kirschen verteilen und je ein Schnapsgläschen Kirschwasser leeren. Süße Sahne obenauf spritzen. Den Abschluss bildet je ein EL Raspelschokolade. An den Rand die Eiswaffel legen. Bei diesem Dessert ist darauf zu achten, dass man die Reihenfolge der Zubereitung schnell handhabt und sofort serviert.

Schade, wenn das Eis vor dem Genuss verlaufen und die heißen Kirschen schon erkaltet wären.

Dessert: Heiße Kirschen auf gemischtem Eis

1 Packung Vanilleeis, Mövenpick
1 Packung Kirscheis, Mövenpick
1 Packung Schokoladeneis, Mövenpick
250 ml süße Sahne
2 P Vanillezucker
6 EL Schokoraspeln, zartbitter
500 ml entsteinte Sauerkirschen aus der Konserve
3 EL Speisestärke mit
50 ml Schwarzwälder Kirschwasser
von Schladerer
6 Schnapsgläschen Kirschwasser
1 P Eiswaffeln

's Gschichtle

Wien, wunderbare Stadt, besteht ununterbrochen schon seit der Antike und spiegelt alle städtebaulichen Entwicklungen von der Römerzeit bis heute wider. Wer von uns wird nicht auch ein wenig auf den Spuren von Sissi und Kaiser Franz Josef wandeln wollen?
Nachdem wir der Wiener Hofburg sowie Schloss Schönbrunn einen Besuch abgestattet haben, fehlt natürlich noch der Prater. Wien aus luftiger Höhe im Riesenrad ist die Krönung. Übrigens wussten Sie, dass das Riesenrad anlässlich der 50. Wiederkehr der Thronbesteigung Kaiser Franz Josefs I. gebaut wurde, anno 1897? Sollten Sie an einem Tag diese drei Touristenhöhepunkte erlebt haben, dann setzen Sie sich in eines der gemütlichen Lokale und bestellen sich das folgende Menü!

Vorspeise: **Römischer Spargelsalat**

Hauptspeise: **Wiener Rostbraten, gemischtes Gemüse und geröstete Schlosskartoffeln**

Dessert: **Süße Sünde**

Vorspeise: *Römischer Spargelsalat*

1200 g frischer Spargel
1/2 TL Zucker
3 reife Avocados
1 kleiner Kopf grüner Salat

für die Soße:
3 rohe Eigelb
3 EL Olivenöl
6 EL saure Sahne
3 EL Zitronensaft
1 gestrichener EL Salz
frisch gemahlener weißer Pfeffer
1 gestrichener TL Zucker
6 EL gehacktes Schnittlauch

Vorspeisenzubereitung

Spargel waschen, schälen, Wasser zum Kochen bringen, Salz und Zucker hineingeben. Spargel in das kochende Wasser legen. Nur soviel nehmen, dass alle Spargelstangen bedeckt sind. Bissfest kochen. Spargel abschütten und auskühlen lassen. Spargelwasser anderweitig verwenden. Während der Spargel erkaltet, die Avocados waschen, halbieren, Steine herauslösen und Schalen abziehen, die Fruchtfleischhälften in dünne Scheiben schneiden, 1 EL Zitronensaft darüber träufeln. Den grünen Salat in einzelne Blätter teilen, waschen, trocken schleudern. Darauf achten, dass die Blätter nicht zerrupft werden. Nun 6 Salatteller nehmen und zunächst auf jeden Teller ein oder zwei Salatblätter legen, darauf die Avocadoscheiben und den kalten Spargel dekorativ anrichten. Abschließend die Soße zubereiten, indem man die rohen Eigelbe mit einem Rührgerät mixt und das Öl langsam dazu gibt, dabei konstant weiter rührt und nacheinander die restlichen Zutaten folgen lässt. Die fertige Soße wird über jeden Salatteller in gleicher Menge gegossen. Vor dem Servieren wird das gehackte Schnittlauch darüber gestreut.

Hauptspeise: ***Wiener Rostbraten***

6 Scheiben Rumpsteaks, je 175 g
Paprika rosenscharf, Salz
30 g Mehl
3 EL Öl
100 g Butter
1/4 l Fleischbrühe aus Fleischbrühwürfeln
6 Gemüsezwiebeln
6 Stängel Petersilie zum Garnieren

Gemüsezwiebeln schälen, in Ringe schneiden, beiseite stellen. Rumpsteaks abbrausen, mit Haushaltspapier gut trocknen. Fettrand mit scharfen Messer einige Male einschneiden. Fleischstücke mit Salz und Rosenpaprika einreiben. Das Mehl auf einen Teller geben und Fleisch darin wenden. Öl in einer Eisenpfanne erhitzen und Steaks auf jeder Seite ca. 4 Minuten braten, auf eine vorgewärmte Platte legen, warm halten. Die Hälfte der Butter zum Bratfett geben und Zwiebelringe darin braun braten und auf jedes Rumpsteaks die gleiche Menge legen, ebenfalls die restliche Butter darauf verteilen und zergehen lassen. Mit der Fleischbrühe den Bratfond loskochen, über die Steaks gießen und auf jedes Steak 1 Petersilienstängel legen.

Rostbraten sind fingerdicke Scheiben vom Rind, die man auch Rumpsteak nennt.

Gemischtes Gemüse

2 kleinere Köpfe Blumenkohl
500 g Möhren
500 g feine Erbsen, tiefgefroren
1 Bund Petersilie fein gehackt
1 Würfel Gemüsebrühe
3 TL Butter
1/2 l Wasser
1 Tasse Wasser
1 Messerspitze Salz
1/2 TL Zucker
2 TL Speisestärke

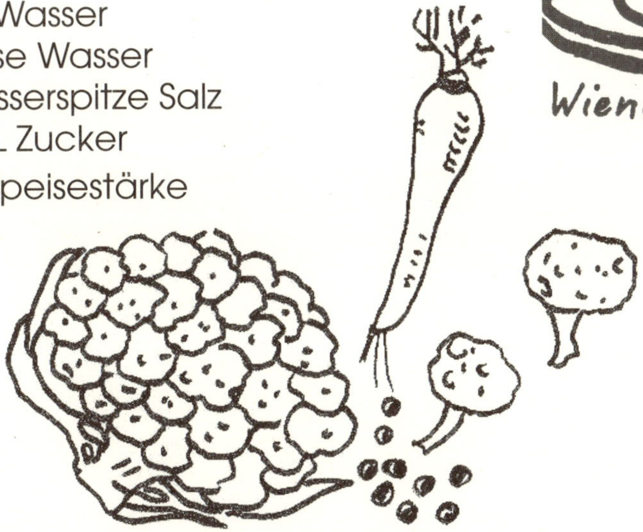

Geröstete Schlosskartoffeln

2,5 kg ganz kleine, neue Kartoffeln
2 Bund frischer Koriander
200 g Butterschmalz
100 g Butter
Kräutersalz

Sie schmecken so lecker, dass Kaiser Franz und seine Sissi sie schon gereicht bekamen

Gemüsezubereitung

Blumenkohl von Blättern befreien, Strunk abschneiden, waschen, in Röschen zerteilen. Möhren schälen, waschen und der Länge nach in etwa 1 cm dicke Stücke schneiden. Zuerst wird der Blumenkohl in 1/2 l kochenden Wasser mit dem Gemüsebrühwürfel bissfest gekocht, heraus genommen und warm gehalten. In dasselbe Gemüsewasser, sobald es wieder kocht, werden nun die Möhren gegeben zusammen mit 1 TL Butter. Ebenfalls bissfest kochen, abgießen und warm stellen.
Die Gemüsebrühe beiseite stellen.
1 Tasse Wasser mit Salz und Zucker zum Kochen bringen. Die feinen Erbsen hineingeben und nach Anweisung der Gefrierpackung kochen, abgießen. Abschließend alle Gemüsebeilagen hübsch auf einer vorgewärmten Platte anrichten, die Gemüsebrühe erhitzen, mit Speisestärke andicken und restliche Butter dazu geben, dann über die Gemüseplatte gießen und Petersilie darüber streuen.

Schloßkartoffelzubereitung

Kartoffeln unter fließendem Wasser abbürsten, mit Küchenpapier trocknen. Koriander waschen und gut abtropfen lassen, mit einer Kräutermühle zerkleinern, beiseite stellen. In einer Eisenpfanne Butterschmalz bei nicht voller Flamme zerlaufen lassen. Die rohen, kleinen Kartoffeln hineingeben, Hitze erhöhen und die Kartoffeln knusprig braun braten. Die sollten, wegen ihres Miniwuchses, bald gar sein. Kurz bevor sie fertig sind, gibt man das Kräutersalz dazu. Vor dem Servieren lässt man die Butter auf kleiner Flamme zerlaufen, nicht braun werden, vom Herd nehmen und Koriander hineingeben. Zum Schluss umrühren und über die Kartoffeln gießen, kurz unterheben.

Dessert: *Süße Sünde*

500 ml süße Sahne
2 Päckchen Vanillezucker
2 EL Puderzucker
4 Eigelb
4 EL geriebene dunkle Schokolade
4 Eiweiß
1 1/2 Dose Williamschrist-Birnen
2 TL Agar-Agar Geliermittel
6 Schnapsgläschen Williamschristbirnen-Schnaps von Schladerer
1 P Schoko-Dekorblätter von Schwartau

Dessertzubereitung

Birnen auf einem Sieb abtropfen lassen. Saft auffangen. 6 Birnenhälften beiseite stellen. 100 ml Saft nehmen und Agar-Agar darin anrühren. Birnen mit Mixer zu einem Brei zerkleinern in einen Topf geben. Das angerührte Geliermittel dazu fügen und 2 Min. kochen lassen. Topf vom Herd nehmen, Schnaps unterrühren, kalt stellen. Sahne mit Vanille- und Puderzucker ganz steif schlagen. Separat Eigelb schaumig schlagen und mit Schokolade mischen. Eiweiß ebenfalls in einer weiteren Schüssel sehr steif schlagen. Nun vorsichtig die Eigelb-Schokomasse unter die steife Sahne heben und danach den Eischnee. 6 große Eisgläser nehmen und Schokoschaum im Wechsel mit Birnencreme einfüllen. Dabei ist darauf zu achten, dass die Birnenmasse gerade zu gelieren beginnt, noch nicht ganz steif ist. Es empfiehlt sich, die Eisgläser für ca. 20 Minuten in den Gefrierschrank zu stellen, damit das Dessert etwas angefroren ist. Vor dem Servieren legt man als Dekoration je 1 Birnenhälfte mit Schoko Dekorblättern obenauf.

's Gschichtle

Großbritannien hat unter anderem ein Negativklischee, das besagt, die dortige Küche sei nicht einmal erwähnenswert. Das typische englische Essen wäre einfalls- und geschmacklos. Um dieses zu widerlegen, hier eine Hauptspeise, die auch am Königshof serviert werden könnte.
Ich selber arbeitete als junges Aupair-Mädchen ein gutes Jahr in einer Londoner Familie, um Englisch zu lernen. Die Lady der Familie erwähnte mindestens einmal wöchentlich: „I'm not British, I'm pure English!"
Ich überlasse es Ihnen, diese Einstellung zu deuten. London erlebte ich damals in den sechziger Jahren als unglaublich aufregend, vielfältig, multikulturell und bunt.
Die Stadt war für mich das Tor in die weite Welt.

Vorspeise: **Chinakohlsalat mit Kiwi**

Hauptspeise: **Überbackener Kabeljau** ***(Old English baked cod)***
Beilage: Basmatireis mit Maiskörnern

Dessert: **Veras Bienenstich mit Fürst-Pückler-Eis**

Vorspeise: ***Chinakohl mit Kiwi***

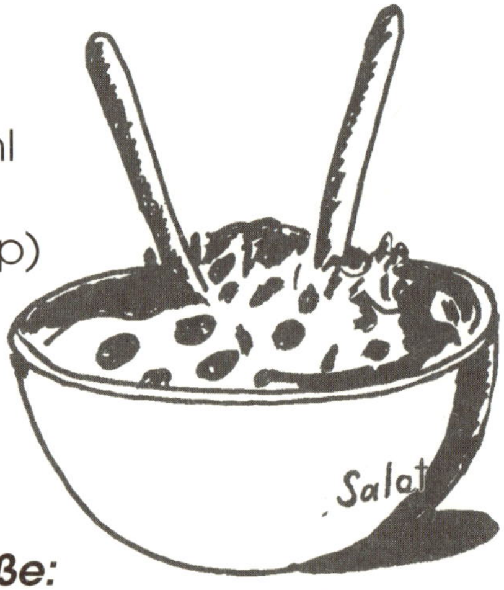

2 knackig frische Köpfe Chinakohl
6 reife Kiwis
3 reife Äpfel, säuerlich (z.B. Boskop)

für die Soße:
1 Tasse Öl
6 EL Himbeeressig
1 gestrichen EL Salz
1/2 TL Zucker
weißer Pfeffer aus der Mühle
1 Bund in Röllchen geschnittenes Schnittlauch

Zubereitung re. Sp. S. 107

Hauptspeise: ***Überbackener Kabeljau (old English baked cod)***

3 Gemüsezwiebeln
300 g frische Champignons
1 Bund Petersilie
6 Kabeljaufilets, je 150 g
1 gestrichener TL Salz
schwarzer Pfeffer aus der Mühle
1 TL getrockneter Thymian
2 Lorbeerblätter
750 ml Milch
2 1/2 EL Speisestärke
6 dünne Scheiben durchwachsener Speck
(Empfehlung dazu: nehmen Sie eine gut geräucherte Sorte!)
4 EL Semmelbrösel

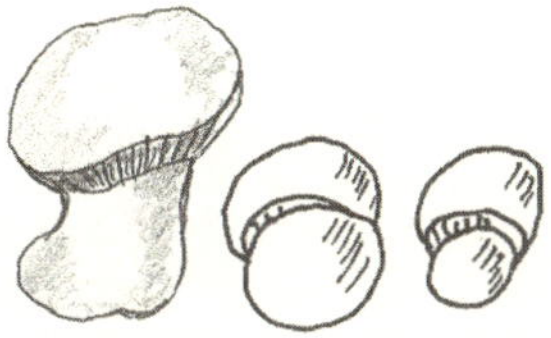

Zubereitung

Backofen auf 200° vorheizen. Zwiebeln schälen, fein hacken. Champignons putzen, waschen, blättrig schneiden. Petersilie gut abtropfen lassen, hacken. Butter im Topf zerlassen und Zwiebeln sowie Pilze 5 Minuten darin dünsten.

Eine feuerfeste Form nehmen und die gedünstete Mischung hineingeben. Fischfilets gut waschen, trocknen und auf die Mischung nebeneinander legen. Petersilie darüber streuen. Mit Salz, Pfeffer und Thymian würzen und Lorbeerblätter obenauf legen. Mit etwas Milch die Speisestärke anrühren, den Rest zum Kochen bringen, Speisestärke dazu gießen. Es sollte eine dicke Soße entstehen.

Diese wird über den Fisch gegossen und alles zugedeckt 10 Min. im Backofen gegart. Derweil wird der Speck knusprig gebraten. Backofen auf 220° hoch schalten, Semmelbrösel über den Fisch streuen, Speck auf jedes Stück legen und alles noch 10 Min. überbacken.

Vorspeisenzubereitung

Den Chinakohl in Blätter zerlegen, waschen, in einer Salatschleuder trocken schleudern, in Streifen schneiden, locker übereinander in eine Schüssel legen. Kiwis waschen, schälen, in dünne Scheiben schneiden. Äpfel waschen, schälen, das Kerngehäuse entfernen und mit einem Kartoffelausstecher Bällchen herausnehmen, alles miteinander vorsichtig mischen. Anschließend die Salatsoße zubereiten, das Schnittlauch zum Schluss dazugeben. Die Soße über den Salat gießen, unterheben, kurz einziehen lassen und auf 6 Salatteller verteilen, servieren.

Reiszubereitung

Reis in einem Gefäß abmessen und die 1 1/2 fache Menge Wasser davon in einen Topf schütten. Wasser mit Kräutersalz und Öl zum Kochen bringen. Reis hinein geben und einmal aufwallen lassen und bei kleinster Flamme 13 Minuten ausquellen lassen. Nicht umrühren.
Maiskörner auf ein Sieb schütten, abtropfen und Butter in einer Pfanne zerlaufen lassen. Mais in der Butter wärmen. Abschließend das Mais-Buttergemisch mit dem heißen ausgequollenem Reis vorsichtig mischen.

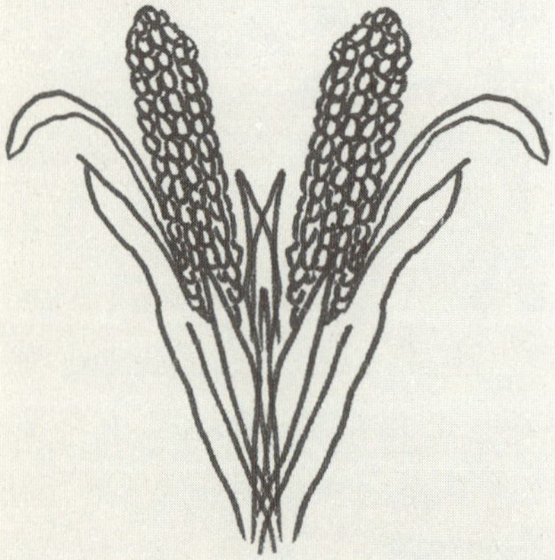

Beilage: ***Basmatireis mit Maiskörnern***

600 g Basmatireis
1 TL Kräutersalz
1 EL Öl
300 g Maiskörner
aus der Dose (Abtropfgewicht)
150 g Butter

Dessert: ***Veras Bienenstich mit Fürst-Pückler-Eis***

1 Packung Fürst-Pückler-Eis
Sprühsahne

Für den Teig:
1 Becher süße Sahne
(diesen Becher als Maß für folgende Zutaten nehmen)
1 Becher Zucker
2 Becher Mehl
4 Eier
2 Päckchen Vanillezucker
1 gestrichenen TL Backpulver

Für den Belag:
250 g Butter
100 g Mandelblättchen
100 g Mandelstifte
1 Becher Zucker
4 EL Milch
1/2 TL hellen Soßenbinder

Dessertzubereitung

Zutaten für den Teig mit Schneebesen mischen, nicht schlagen! Teig auf ein mit Backpapier ausgelegtes Herdblech gießen. Blech auf mittlere Schiebeleiste stellen und bei 190° 10 Min. backen. Zwischenzeitlich den Belag herstellen, indem alle Zutaten miteinander gemischt werden, am besten die Hände dazu nehmen. Teigboden aus dem Backofen holen und Belag gleichmäßig darauf verteilen. Nochmals 10 - 15 Min. bei gleicher Hitze weiterbacken. Die Mandeln sollten hellgelb aussehen.

Der Kuchen sollte zum Servieren warm bis lauwarm sein. Man schneidet 6 größere quadratische Stücke und legt je eines auf einen Dessertteller und auf den Belag eine 2 cm dicke Scheibe Fürst Pückler Eis. Abschließend wird mit der Sprühsahne das Eis verziert. Dazu kann man gut Capuccino-Kaffee reichen.

's Gschichtle

Toledo, Hauptstadt der gleichnamigen spanischen Provinz, im Zentrum der iberischen Halbinsel gelegen, hat eine sehr wechselvolle Geschichte an der Schnittstelle zwischen Orient (Maurenreich) und Okzident aufzuweisen. Ihr Wahrzeichen ist die Kathedrale, eine der größten der Welt. Der Betrachter ist schon vom äußeren Erscheinungsbild, besonders den Portalen fasziniert. Sie sind reichlich mit Reliefschmuck und Skulpturen verziert. Nicht nur im Innenraum lohnt es sich Stunden zu verweilen, auch die Sakristei birgt Schätze, für deren Besichtigung man viel Zeit mitbringen sollte. Unter anderem kann man Gemälde von Goya und El Greco betrachten. Etwas westlich von der Kathedrale im ehemals jüdischen Viertel können wir auf der Plaza Santo Tomé die Kirche gleichen Namens besichtigen. Sie wurde auf einer maurischen Moschee erbaut.

Vorspeise: Toledo-Knoblauchsuppe *(Sopa de ajo a la Toledana)*

Hauptspeise: Reispfanne - Paella

Dessert: Naschkatzen Tutti Frutti

Vorspeise: *Toledo-Knoblauchsuppe (Sopa de ajo a la Toledana)*

Nach soviel Kultur ist eine Pause angesagt. Wir begeben uns etwas abseits in ein schönes, schattiges Lokal. Dort ist gerade eine hitzige Diskussion der Einheimischen im Gange über Für und Wider des Stierkampfes. Einer ruft leidenschaftlich: „Was wären unsere Feste, unser Leben ohne corrida de toro (Stierkampf)?“ Wir wollen nicht auf die Antwort warten, sondern uns dieses hervorragende Gericht bestellen.

350 g Weißbrot
1 Knolle Knoblauch
1 gestrichener TL Salz
4 EL Olivenöl
1 EL Paprika edelsüß
1 3/4 l Wasser
6 Eier
3 EL klein geschnittenes Schnittlauch
Salz und bunter Pfeffer aus der Mühle

Zubereitung re. Sp. S. 111

Hauptspeise: *Reispfanne - Paella*

1 Hähnchen, etwa 1,5 kg
3 große Zwiebeln
1/2 Knolle Knoblauch
6 Fleischtomaten
2 rote Paprikaschoten
1 Tasse sehr gutes Olivenöl
1 1/2 TL Salz
3 gestrichene TL frisch gemahlener weißer Pfeffer aus der Mühle
400 g Langkornreis
1,5 l heiße Fleischbrühe
2 EL Safranfäden, wahlweise
2 gestrichene TL Safranpulver

aus der Frischfischabteilung:
300 g Thunfisch
300 g Rotbarschfilet

aus der Konserve:

250 g Miesmuscheln, naturell eingelegt
250 g Erbsen, tiefgefroren
1/2 l trockenen Weißwein
20 rotgefüllte Oliven
250 g Chorizo-Wurst, wahlweise
250 g geräucherte, knoblauchhaltige Würstchen

Zunächst ein kleiner Kommentar zur Paella: Wie die Zubereitung vonstatten geht, wird in jeder spanischen Region unterschiedlich gehandhabt. In Küstennähe z.B. gibt man immer frische Miesmuscheln und frische Hummerkrabben dazu. Mein Rezept können Sie auch in Ihrer Küche umsetzen. Paella zu kreieren ist so etwas wie das Schaffen eines Kunstwerkes. Es macht keinen Sinn, diese Spezialität nur für 3 - 4 Personen zuzubereiten. 6 Genießer sind das Mindeste, 15 - 20 Personen wären optimal. Die Angaben hier, wie gehabt, für 6 Personen.

Vorspeisenzubereitung

Weißbrot in sehr dünne Scheiben schneiden. Knoblauch schälen und grob mit Salz zerdrücken. Öl in einem großen Topf erhitzen und das zerdrückte Knoblauch mit dem heißen Öl verrühren. Die Weißbrotscheiben in das Öl legen und von beiden Seiten braten, beim Wenden vorsichtig sein, damit das dünne Brot sich nicht in Stücke auflöst. Paprika über das Brot streuen und die kalte Wassermenge zugießen, würzen mit Salz und buntem Pfeffer. Jetzt die Suppe zum Kochen bringen und bei kleiner Flamme 2 Minuten köcheln lassen. Topf vom Herd nehmen. Ein Ei nach dem anderen aufschlagen und jedes einzeln in eine Schöpfkelle gleiten lassen, diese dann in die heiße Suppe geben. Suppentopf wieder auf den Herd stellen und bei schwacher Hitze so lange lassen, bis die Eiweiße fest sind. Abschließend 6 Suppentassen nehmen und in jede ein Ei zusammen mit der Suppe geben. Schnittlauch darüber streuen.

Zubereitung

Hähnchen waschen, trocknen, portionieren. Zwiebeln und Knoblauch schälen, fein hacken. Tomaten häuten, achteln. Paprika waschen, Kerne entfernen, achteln. 3/4 vom Öl in eine große, tiefe Pfanne geben. (Eine Paellapfanne wäre optimal.) Öl erhitzen, Hähnchenteile von allen Seiten goldbraun braten, salzen pfeffern. Zwiebeln, Knoblauch und Reis in die Pfanne geben, ständig wenden und glasig braten. Fleischbrühe zugießen, Safran unterrühren. Kleine Flamme einstellen und 15 Min. köcheln lassen. Beide Fischsorten waschen, trocken tupfen und würfeln, Miesmuscheln abtropfen lassen. Fischwürfel zusammen mit Muscheln, Erbsen, Paprika, Tomaten sehr vorsichtig unter den Reis mischen und Weißwein darüber gießen. Nun alles miteinander bei ganz wenig Hitze 15 Min. ziehen lassen.

Derweil Oliven kalt abbrausen, abtropfen lassen und halbieren. Den Rest des Öls in einer kleineren Pfanne erhitzen, darin die Würstchen knusprig braten, zusammen mit den Oliven auf die Paella legen.

Die Paella sollten Sie Ihren Gästen in der großen Pfanne an einem runden Tisch servieren!

Dessert: *Tutti Frutti für Naschkatzen*

folgende frische Obstsorten:
250 g Erdbeeren
250 g Himbeeren
250 g Birnen
250 g Pfirsiche
2 EL Limonensaft
4 EL braunen Zucker (Rohrzucker)
200 ml kalte Milch
200 ml süße Sahne
500 g Magerquark
2 P Quarkfein, Erdbeergeschmack
1 P Dekor-Herzen von Schwartau

Desserzubereitung
Alle Obstsorten waschen und abtropfen lassen, außer Himbeeren. Von den Himbeeren 12 schöne Früchte zur Dekoration beiseite stellen. Blätter von den Erdbeeren entfernen, in Scheibchen, quer schneiden, sieht hübscher aus. 2 EL vom braunen Zucker darüber streuen, vorsichtig mischen. Birnen schälen, Kerngehäuse entfernen in Würfel schneiden. Pfirsiche ebenfalls in Würfel schneiden. Beide Sorten in eine zweite Schüssel geben. Limonensaft mit den restlichen 2 EL Zucker versetzen, ihn darin auflösen, darüber schütten und unterheben. Alle Obstsorten zusammengeben und vorsichtig miteinander vermischen. Himbeeren zum Schluss hinzufügen.
Milch und Sahne in eine Schüssel gießen. Die 2 Päckchen Quarkfein hineinschütten, mit Schneebesen gut verrühren. Den Quark zugeben und alles zusammen mit dem Schneebesen glatt rühren. 6 große Eisgläser nehmen und in jedes zunächst eine Schicht Quarkcreme füllen, dann Obstsalat und so mit der Schichtung fort fahren, bis alles aufgeteilt ist. Die letzte Schicht sollte aus Quarkcreme bestehen. Als Dekoration legt man auf jedes Glas je 2 Schokoherzen und 2 Himbeeren.

's Gschichtle

Freiburg im Breisgau mit seinem Wahrzeichen, dem Münster, dessen Turm man als den Schönsten der Christenheit bezeichnet, ist meine Stadt, in der ich länger als drei Jahrzehnte lebe, die ich liebe und in der ich mich zu Hause fühle. Freiburg, die Schwarzwaldhauptstadt mit vielen lauschigen Plätzen zum Verweilen, historischen Bauten, kurzum ein Ort, an dem es jedem Urlauber schwer fällt, wieder wegzufahren. Am besten schauen Sie sich diese zauberhafte Stadt selber an. Schlendern Sie durch enge Gässle und erfreuen sich an plätschernden Bächle, die sich durch die Innenstadt schlängeln. Sind Sie vom vielen Schauen müde, dann setzen Sie sich auf den Münsterplatz und schlotzen ein Viertele. Hier trinkt man den Wein nicht, sondern schlotzt (schlürft) ihn. Es zeichnet den einheimischen Genießer aus, dass er lautmalerisch mit dem Verb Schlotzen das Vergnügen an einem guten Tropfen beschreibt.

Ein wenig Lokalpolitik sollte an dieser Stelle nicht fehlen. Freiburg wählte im Jahr 2002 als erste deutsche Großstadt einen grünen Oberbürgermeister. Die Grüne Bewegung hat hier traditionell starke Wurzeln. Parallel dazu entwickelte sich ebenfalls eine beachtliche Alternativkultur, die in allen Bevölkerungsgruppen und Jahrgängen ihre Anhänger hat. Dieses Rezept widme ich allen Vegetariern. Nichtsdestotrotz vermute ich, dass beim Lesen auch manchem Fan von Gesottenem und Gebratenem das Wasser im Mund zusammenlaufen wird.

Vorspeise: Sojabohnenkeimlinge mit Früchten

Hauptspeise: Ofetürli und Freiburger Gemüseplatte

Dessert: Schoko-Sahnetraum aus dem vorderen Orient

Vorspeise: ***Sojabohnenkeimlinge mit Früchten***

600 g frische Sojabohnenkeimlinge
6 Frühlingszwiebeln
6 Fleischtomaten
6 frische Aprikosen

für die Salatsoße:
3 EL Tomatenkechup
Saft von 2 Orangen
3 EL Obstessig
3 EL Sojasoße
1 EL Honig
1/2 TL Meersalz
weißer Pfeffer aus der Mühle
1 Msp. Cayennepfeffer
2 EL Sonnenblumenkerne
3 EL gehackte Petersilie

Vorspeisenzubereitung

Sojabohnenkeimlinge waschen, kurz blanchieren, abtropfen und kalt werden lassen. Frühlingszwiebeln waschen, putzen, in feine Scheiben schneiden. Tomaten waschen, Stängelansätze herausschneiden, vierteln und entkernen. Das Fruchtfleisch in kleine Würfel schneiden. Alle Salatzutaten in eine Schüssel geben.

Die Zutaten für die Salatsoße gibt man in dieser Reihenfolge in eine Rührschüssel: Orangensaft, Tomatenketchup, Obstessig, Sojasoße und zuletzt den Honig. Alles wird gut verrührt und mit Salz, weißem sowie Cayennepfeffer abgeschmeckt. Die Soße über den Salat schütten und gut vermischen. Auf 6 Salattellern die gleiche Menge verteilen. Die gehackte Petersilie wird auf jede Portion gestreut. Die Sonnenblumenkerne werden in einer fettfreien Pfanne kurz geröstet und als Abschluss darüber gegeben. Sofort servieren.

Ofetürli-Zubereitung

Kartoffeln schälen, waschen, in große Würfel schneiden, in leicht gesalzenem Wasser weich kochen, abschütten, dämpfen und durch eine Kartoffelpresse drücken. Eier aufschlagen, in eine Schüssel geben, mit Sahne, Salz, Muskat gut verrühren. 150 g vom geriebenen Käse in die Sahne-Ei-Masse streuen, ebenfalls verrühren. Nun die Mischung über den Püree gießen und mischen, so dass ein dicker Brei entsteht. Den Backofen auf 200° vorheizen. Ein tiefes Herdblech nehmen und mit Backfolie auskleiden. Den Kartoffelbrei gleichmäßig auf das Blech streichen und den restlichen Käse auf der Oberfläche verteilen. Abschließend in ca. 40 - 45 Minuten das Ofetürli goldgelb backen.

Hauptspeise: ***Ofetürli und Freiburger Gemüseplatte***

Fürs Ofetürli:
3 kg mehlige Kartoffeln
4 Eier
400 ml Sahne
250 g geriebener Sbrinz-Käse
(selber reiben!)
wahlweise Emmentaler
Salz, Muskat

Freiburger Gemüseplatte:
1 kleiner Blumenkohl
500 g Broccoli
500 g Bundmöhren
4 Petersilienwurzeln
1 kleiner Sellerie
3 Stangen Lauch
500 g grüne Bohnen
1 Bund Bohnenkraut
500 g grüne Erbsen
4 Gemüsebrühwürfel
von Cenovis (Reformhaus)
150 g Butter
200 ml süße Sahne
3 EL Mehl
Salz,
weißer Pfeffer aus der Mühle

Das Ofetürli ist eigentlich ein typisches Schweizer Gericht aus dem Kanton Unterwalden. Den Namen hat es vom Herd, auf dem unsere Omas oder älteren Mütter noch kochten. Er hatte zwei Türen, die man öffnen konnte, eine zum Heizen, die andere zum Backen.
Freiburger mögen sehr gern Schweizer Rezepte. Man kann sie hervorragend mit hiesigen Köstlichkeiten kombinieren.

Für die Gemüseplatte sollten alle Sorten ganz frisch, entweder aus dem eigenen Garten oder vom Markt, zubereitet werden.

Zubereitung

Blumenkohl und Broccoli waschen, in Röschen teilen. 1 1/2 l Wasser mit den Gemüsebrühwürfeln zum Kochen bringen. Wenn das Wasser kocht, zuerst den Blumenkohl darin bissfest kochen, mit einem Schaumlöffel herausnehmen und warm stellen. Mit dem Broccoli in gleicher Weise verfahren. Während des Kochvorgangs Möhren, Sellerie und Petersilienwurzel schälen und waschen. Von letzterer die Petersilie abschneiden, waschen, trocken schleudern, hacken und beiseite stellen.
Lauch waschen, in dünne Streifen schneiden. Möhren, Petersilienwurzel und Sellerie in gleichgroße Scheiben schneiden. Gemüsewasser erneut zum Kochen bringen und die geschnittenen Gemüse miteinander hineingeben, ebenfalls bissfest kochen, herausnehmen, warm stellen. Die Gemüsebrühe aufheben.

Nun einen weiteren Topf mit gesalzenem Wasser zum Kochen bringen. Derweil die Stiele von den grünen Bohnen entfernen, die Bohnen und das Bohnenkraut waschen. Beides zusammen ins kochende Salzwasser geben, bissfest kochen. Wasser abschütten, Bohnenkraut entfernen und Bohnen warm stellen.
Jetzt wird die Gemüsesoße zubereitet. In einer Pfanne die Butter zum Schmelzen bringen, Mehl hellgelb darin werden lassen, mit der Gemüsebrühe ablöschen und 3 Minuten kochen lassen. Die Gemüsesoße vom Herd nehmen und Sahne darin verrühren. Mit Salz und weißem Pfeffer pikant abschmecken und die Soße nochmals heiß werden lassen, nicht mehr kochen. Abschließend die warmen Gemüsesorten auf eine vorgewärmte Platte, mit tiefen Rand, dekorativ anrichten. Die Gemüsesoße gleichmäßig darüber schütten und das Ganze mit Petersilie bestreuen.
Das Ofetürli sollte in quadratische Stücke geschnitten auf einer weiteren vorgewärmten Platte gereicht werden.

Zubereitung

Die Eigelb mit Zucker schaumig schlagen. Schokolade in Stücke brechen, in einen kleinen Topf geben. Einen zweiten Topf mit Wasser zum Kochen bringen. Wenn es kocht, den kleinen Topf hinein stellen und Schokolade langsam schmelzen lassen. In die Eimasse gibt man den Kaffeelikör zusammen mit dem Instand-Kaffee und vermischt beides. Dann fügt man die geschmolzene Schokolade hinzu und verrührt sie ebenfalls. Das Gemisch dann kalt stellen. Nun die Sahne und ebenso die Eiweiße getrennt steif schlagen. Zuerst wird die Schlagsahne und dann der Eischnee unter die kalte Schokomasse gehoben. Den fertigen Schaum in 6 Dessertgläser füllen und nochmals ca. 2 Stunden in den Kühlschrank stellen. Vor dem Servieren mit Borkenschokolade verzieren.

Tipp: Wer mag, kann den Schokoschaum auch tiefgefrieren und später als Eis servieren.

Dessert: *Schoko-Sahnetraum aus dem vorderen Orient*

Für den Schokoschaum:
6 Eigelb
150 g Zucker
200 g Zartbitterschokolade
4 EL Instand Kaffee
3 Schnapsgläschen Kaffeelikör
1/2 l süße Sahne
6 Eiweiß
Borkenschokolade

's Gschichtle

Die Schwaben sind ein ganz besonderes Völkchen. Sie haben meine uneingeschränkte Sympathie. Seit Jahrzehnten ist unsere Familie mit einer Schwäbin und ihrem Mann, einem Berliner, befreundet. Es gibt sozusagen Stammesunterschiede bei diesem besonderen Völkchen. Man unterscheidet z. B. zwischen württembergischen und bayrischen Schwaben, die auch religiös und mundartlich unterschiedlich sind. A propos religiöse Unterschiede: Die evangelischen Kernschwaben sind zu einer puritanischen Grundhaltung erzogen worden, von der sie selber sagen, dass diese jeden Genuss vermiese. Das gipfelt in der Aussage: „Lust (Wolluscht!) ist das größte Hindernis für die ewige Seligkeit!"
Die katholischen, lebenslustigen Oberschwaben dagegen können den Genuss gelassener angehen.
Dieses Rezept stammt von der o.g. Schwäbin, Elisabeth, die zur ersten Gruppe mit der puritanischen Erziehung gehört. Allen Klischees zum Trotz ist sie unsere liebenswerte, lebenslustige, genuss- und sinnesfreudige Freundin, eine Meisterin, nicht nur der schwäbischen Küche.

Vorspeise: **Marinierte Auberginen** ***(melanzane marinate)*** **aus der Po-Ebene**

Hauptspeise: **Ochsenfleisch mit Meerrettich und Preiselbeeren.**
Beilage: **Buebespitzle = Schupfnudeln, grüner Salat**

Dessert: **Tiroler Witwenküsse auf Apfelspeise**

Vorspeise: *Marinierte Auberginen (melanzane marinate) aus der Po Ebene*

5 nicht so große Auberginen, 600 g
1/2 Bund glatte Petersilie
1/2 Bund Basilikum
6 Salbeiblätter, 6 Knoblauchzehen
3 EL Olivenöl, 6 EL Weinessig
Salz, Pfeffer aus der Mühle

Vorspeisenzubereitung

Diese Vorspeise sollte am Vortag zubereitet werden.
Auberginen waschen, in 1/2 cm breite Scheiben schneiden, Stielansatz entfernen, Scheiben salzen und lagenweise auf einen großen Teller stapeln. Einen zweiten, gleich großen Teller nehmen und Auberginen damit abdecken, ein Gewicht obenauf stellen. 40 Minuten ziehen lassen. Dann Auberginen abspülen, gut trocken tupfen. Olivenöl in einer Eisenpfanne erhitzen, Auberginenscheiben nacheinander im Öl von beiden Seiten braun braten (nicht länger als 2 Min. je Seite). Gebratene Auberginen auf Küchenkrepp gut abtropfen lassen. Petersilie, Basilikum, Salbeiblätter fein hacken und vermischen. Eine große, längliche Schüssel nehmen und Auberginen lagenweise darin schichten. Jede Lage wird gesalzen, gepfeffert, mit Weinessig beträufelt und mit der Kräuter-Knoblauchmischung bestreut. Abschließend wird die Schüssel zugedeckt, in den Kühlschrank gestellt und sollte die Nacht über (bis zum Servieren) durchziehen.

Hauptspeise: ***Ochsenfleisch mit Meerrettich und Preiselbeeren.***
Beilage: ***Buebespitzle (Schupfnudeln), grüner Salat***

1,5 kg Ochsenbrust
2 l Wasser
2 große Zwiebeln
2 Lorbeerblätter
1 EL gemischt Gewürz- und Pfefferkörner
2 Petersilienwurzeln
2 Stangen Lauch
4 Möhren

Ochsenbrust abbrausen. Zwiebeln, Lorbeerblätter und Gewürz-/Pfefferkörner ins Wasser geben und zum Kochen bringen. Petersilienwurzel, Lauch und Möhren putzen, waschen in größere Stücke schneiden und zusammen mit dem Fleisch ca. 90 Minuten kochen. Petersilie waschen, trocknen und fein schneiden.

Meerrettich

2 Stangen Meerrettich
80 g Butter
80 g Mehl
3/4 l Brühe
1/4 l süße Sahne
1/2 TL Zucker, Salz
Preiselbeeren aus der Konserve

Meerrettich schälen, waschen, im Mixer zerkleinern. Butter und Mehl hellgelb dämpfen, Meerrettich hinzufügen, mit Brühe ablöschen und restliche Zutaten hineingeben. Nur noch kurz aufkochen.
Abschließend das heiße Ochsenfleisch in Scheiben schneiden. Auf einer vorgewärmten, tiefen Platte anrichten, etwas von der Brühe darüber gießen und Petersilie darauf streuen. Eine vorgewärmte Schüssel mit dem Meerrettich füllen und die Preiselbeeren in einer Glasschale dazustellen.

Buebespitzle/Schupfnudeln

1,5 kg Pellkartoffeln
(Sie sollten 2 Tage zuvor, nicht zu weich, gekocht sein.)
2 kleinere Eier
150 g Mehl
Salz, Muskat
150 g Butter
4 Gemüsezwiebeln
2 EL Butter

Zubereitung

Pellkartoffeln schälen und reiben. Alle Zutaten zu einem festen Teig verarbeiten. Auf einem bemehlten Brett den Teig zu fingerdicken Würstchen rollen, die ca. 4 cm lang sein sollten. Die Teigwürstchen sollten gewargelt (mit der flachen Hand gerollt) werden. Das führt dazu, dass beide Enden spitz zulaufen. In einen großen Topf mit kochendem Salzwasser etwa 1/3 der Buebepitzle hineingeben, aufkochen, bis man sie an der Oberfläche sieht. Nun mit dem Schaumlöffel herausnehmen, auf einem Sieb abtropfen lassen und in eine heiße Auflaufform geben, Butterflökkchen darauf legen und warm stellen. Weiter in gleicher Weise verfahren, bis alle Schupfnudeln gekocht sind. Gemüsezwiebeln schälen, in Ringe schneiden. Butter in einer Pfanne erhitzen und Zwiebeln schön braun braten, über die Buebespitzle verteilen.

Zubereitung

Äpfel schälen, vom Kerngehäuse befreien, mit 3/4 l Wasser, Zucker, Zitronenschale und -saft weich kochen, durch ein Sieb pürieren. Gelatine auflösen und sie zusammen mit dem Mandellikör in die Apfelmasse geben. In 6 Gläser füllen und kalt stellen.

Über heißem Wasserdampf werden die Eiweiße mit dem Zucker dickschaumig geschlagen. Nusskerne grob hacken und Zitronat klein schneiden. Beides unter den Eischnee mischen. Backofen auf 120° vorheizen. Backblech mit Backfolie auslegen und darauf die Oblaten. Mit einem Teelöffel gibt man kleine Häufchen des Eischneegemisches auf die Oblaten und stellt sie in den Backofen.

Die Witwenküsse sollten nicht gebacken, sondern bei 120° getrocknet werden. Deshalb an dieser Stelle keine genaue Zeitangabe. Es empfiehlt sich nach einer gewissen Zeit nachzuschauen, ob sie getrocknet sind. Nun die Sahne mit dem Vanillezucker schlagen, in einen Spritzbeutel geben. Vor dem Servieren werden die Küsse auf der kalten Apfelspeise dekoriert mit Sahneröschen.

Grüner Salat

2 schöne große Salatköpfe
1 Bund Schnittlauch
1 Bund Kerbel
4 EL Weißweinessig
3 EL Mazola-Öl
1/2 TL Salz
1/2 TL weißer Pfeffer aus der Mühle

Salat verlesen, waschen, mit der Salatschleuder trocknen. Salatsoße aus den angegebenen Zutaten zubereiten, Schnittlauch und Kerbel waschen, abtropfen lassen, fein schneiden. Erst wenn das Essen serviert wird, gibt man die klein geschnittenen Kräuter in die Salatsoße und mischt die Blätter vorsichtig mit der Marinade.

Dessert: ***Tiroler Witwenküsse auf Apfelspeise***

Für die Apfelspeise:

500 g Äpfel, 250 g Zucker
Schale von 1/2 Zitrone
(aus biologischem Anbau)
Saft von 1 Zitrone, 3 EL Mandellikör
2 Päckchen Gelatine

Für die Witwenküsse:

6 Eiweiß, 180 g Zucker
200 g Nusskerne, 100 g Zitronat
Oblaten, 150 ml süße Sahne
1 Päckchen Vanillezucker

's Gschichtle

Das Eichsfeld ist ein reizvoll malerischer Landstrich; das flachere, nördliche Untereichsfeld (zu Niedersachsen gehörig) ist dem bergigen, südlichen Obereichsfeld (Freistaat Thüringen) vorgelagert, dessen Höhenzüge ca. 550 m ü. NN erreichen. Dort bin ich geboren und aufgewachsen. In der Ortschaft Flinsberg verläuft der geografische Mittelpunkt Deutschlands. Das Eichsfeld kennt viele interessante Bräuche. Es ist ein kleines katholisches Enklave, das sich besonders zu DDR-Zeiten mit Erfolg gegen „die bösen Kommunisten und Atheisten" zur Wehr setzte. Ein bekannter Fernsehmoderator nannte das Eichsfeld unlängst ein katholisches Mistbeet. Hier wurden und werden Kirchenfeste immer gern und mit großem Einsatz gefeiert, allen voran das Kirchweihfest, Kirmes genannt. Ein typisches Kirmes-Festessen ist der Lammbraten der

Vorspeise: Kartoffel-Gemüsesuppe aus Frankreich *(potage Parmentier)*

Hauptspeise: Eichsfelder Schäfer-Essen - Lammbraten mit Kartoffelpüree und Bohnensalat

Dessert: Haselnusscreme aus dem Paradies

Schäfer, von denen ein Sprichwort sagte: „Bienen und Schafe ernähren ihren Herrn im Schlafe." Das galt besonders für die kargen Waldgegenden.

Vorspeise: *Kartoffel-Gemüsesuppe aus Frankreich (potage Parmentier)*

500 g Kartoffeln
2 Stangen Lauch
2 Zwiebeln
2 Möhren

1 1/2 l Geflügelbrühe (Instand-Brühe)
1/2TL schwarzer Pfeffer
1/2 TL Kräutersalz
1/2 Tasse Sahne
2 EL klein geschnittener Schnittlauch

Hauptspeise: *Eichsfelder Schäfer-Essen Lammbraten mit Kartoffelpüree & Bohnensalat*

1500 g ausgebeinte Lammkeule
1/2 l Fleischbrühe aus Würfeln
4 EL Öl, Salz, 1 große Zwiebel,
1 TL weißer Pfeffer aus der Mühle
1 Knolle Knoblauch
1 TL getrockneter Thymian
1/8 l trockenen Rotwein
1 Stangen Lauch, 2 Möhren
2 Fleischtomaten,
1 EL Mehl, 1 Bund Petersilien

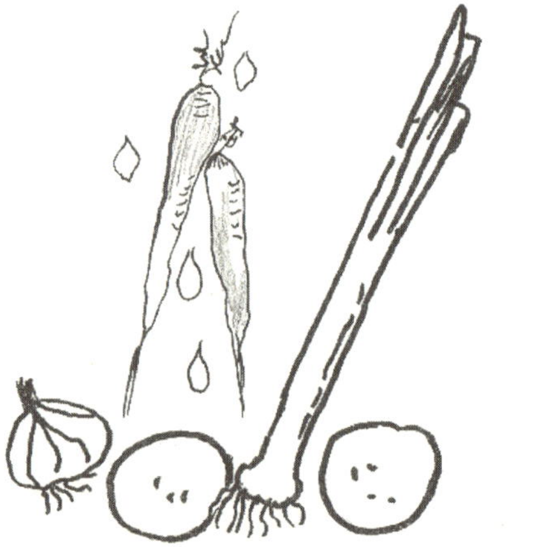

Vorspeisenzubereitung

Kartoffeln schälen, waschen, würfeln. Lauch gut waschen, in Ringe schneiden, ebenso Zwiebeln. Möhren schälen, in Scheiben schneiden. Gemüse mit dem Pfeffer in die kochende Geflügelbrühe geben. Zugedeckt bei schwacher Hitze 60 Minuten kochen lassen. Das Gemüse herausnehmen, mit dem Pürierstab zu einem feinen Brei verarbeiten, wieder zurück in die Brühe schütten und mit der Sahne verrühren. Mit Kräutersalz pikant abschmecken. Nochmals erhitzen, aber nicht mehr kochen, in 6 Suppentassen füllen, mit Schnittlauch bestreuen und gleich servieren.

Hauptspeisenzubereitung

Gemüse vorbereiten: Möhren schälen, waschen, in Scheiben schneiden. Zwiebeln schälen, würfeln, Lauch waschen, in Ringe schneiden. Tomaten häuten, Stängelansätze herauslösen, würfeln. Knoblauch schälen, durch die Presse drücken. Petersilie waschen, trocknen, klein schneiden. Alles beiseite stellen. Backofen auf 220° vorheizen. Lammkeule unter fließendem Wasser abspülen, trocknen, salzen. Öl in einen Bräter geben und Lammkeule ringsherum braun braten. Wenn sie gut

Fortsetzung S. 125 re. Sp.

Forsetzung von S. 124

angebraten ist, kurz herausnehmen und Zwiebeln glasig braten. Danach die verschiedenen Gemüse hinzufügen und mit Fleischbrühe ablöschen. Pfeffer, Thymian hinein geben, ebenso die gepressten Knoblauchzehen. Nun die Lammkeule obenauf legen und Bräter mit Deckel verschließen. In den Backofen schieben und 2 1/2 Stunden schmoren lassen. Nach 30 Minuten die Hitze des Backofens auf 180° reduzieren. Während der Garzeit, die Lammkeule zwei Mal wenden.

Wenn der Braten fertig ist, das Fleisch in ca. 2 cm dicke Scheiben schneiden, auf einer vorgewärmten Platte warm stellen. Den Bratfond mit Rotwein los kochen, durch ein Sieb gießen, das weichgekochte Gemüse mit dem Pürierstab zerkleinern und wieder hinzufügen. Mehl in einer Tasse mit wenig Wasser anrühren, Soße damit andicken, mehrere Minuten kochen lassen. Nochmals abschmecken und in eine vorgewärmte Sauciere füllen, getrennt zum Fleisch reichen. Petersilie über Lammkeule streuen.

Kartoffelpüree

1,5 kg Kartoffeln
1/4 l Milch
100 ml süße Sahne
Salz
4 EL Semmelbrösel
150 g Butter

Kartoffeln schälen, waschen, würfeln, in Salzwasser weich kochen, abschütten und pürieren. Milch mit Sahne heiß werden lassen, über das Püree gießen, gut mischen, ggf. mit Salz nachwürzen, warm stellen, zudecken. In einer Pfanne Butter zum Schmelzen bringen, Semmelbrösel hineingeben und unter Rühren goldgelb braten, über das Püree verteilen.

Bohnensalat

1 kg grüne Bohnen
(ggf. tiefgefroren)
1 Sträußchen Bohnenkraut

für das Dressing:

1 Becher Schlagsahne
3 Frühlingszwiebeln
4 EL Obstessig
3 EL Öl
1 Prise Zucker
Kräutersalz
schwarzer Pfeffer
aus der Mühle
1 Sträußchen
Petersilie

Bohnen zusammen mit Bohnenkraut in kochendes Salzwasser geben und bissfest kochen, danach abgießen und Bohnenkraut entfernen, kalt werden lassen. Petersilie waschen, trocknen, klein schneiden, Frühlingszwiebeln ebenso. Aus den restlichen Zutaten eine Salatsoße rühren Petersilie und Zwiebeln dazu geben, kräftig mit Salz und Pfeffer abschmecken. Wenn die Bohnen kalt sind, Salatsoße darüber gießen, gut mischen und mindestens 30 Minuten ziehen lassen.

Dessert: ***Haselnusscreme aus dem Paradies***

80 g Speisestärke
1 l Milch
80 g Zucker
2 Päckchen Vanillezucker
1 Prise Salz
4 Eigelb
130 g geriebene Haselnüsse
4 Eiweiß

zum Garnieren:
1/4 l Sahne
2 EL Puderzucker
36 ganze Haselnüsse

Zubereitung

Speisestärke mit 5 EL Milch verrühren. Restliche Milch mit Zucker, Salz und Vanillezucker in einem Topf aufkochen. Speisestärke in die kochende Milch gießen und dabei kräftig rühren. 2 Minuten unter Rühren kochen lassen, vom Herd nehmen. Eigelb mit etwas Creme verquirlen, wieder in den Topf geben, gut mischen, nicht kochen. Geriebene Haselnüsse unter die Creme ziehen und abkühlen lassen. Eiweiß zu steifem Schnee schlagen, ebenfalls unterziehen. Creme in 6 Dessertschalen füllen, im Kühlschrank ca. 1 1/2 Stunde kalt stellen. Sahne mit dem Zucker steif schlagen. Vor dem Servieren wird die Sahne in einen Spritzbeutel gefüllt und die Oberfläche der Schalen damit verziert und mit je 6 Haselnüsse dekoriert.

's Gschichtle

Colmar die Stadt mit Charme, der großartigen historischen Altstadt, den einzigartigen Straßen und Gassen, Kirchen, Klöstern, alten Fachwerkhäusern, holzverzierten und bemalten Fassaden, alten Renaissancebauten, ein Ort in dem man ins Schwärmen gerät und sich nicht oft genug satt sehen kann. Da ist das Museum Unterlinden: es befindet sich in einem Kloster aus dem 13. Jahrhundert und birgt Werke von Grünewald, Schongauer und Isenmann. Beim Betrachten des Isenheimer Altars von Grünewald merkt man nicht, wie die Stunden vergehen, und schwört, möglichst wiederzukommen. Unvergesslich bleibt auch ein Bummel durch das an einem Kanal gelegene Gerberviertel mit dem sogenannten Klein-Venedig. Es empfiehlt sich, an einem warmen Sonnentag dorthin zu spazieren. Da sitzt man selbstverständlich draußen vor einem der gemütlichen Gasthäuser, unter schattigen Bäumen, lauscht dem Plätschern des Wassers im Kanal und schnabuliert dabei ein außergewöhnliches Menü.

Vorspeise: **Kürbiscremesuppe aus der Region** ***(soupe de Courge à la crème)***

Hauptspeise: **Sektbrüstchen mit grünen Erbsen (poule au Champagne aux petits pois),**

Beilage: **Langkornreis**

Dessert: **Unter einem Baldachin**

Vorspeise: *Kürbiscremesuppe aus der Region* *(soupe de courge à la crème)*

1,5 kg Kürbis, 300 ml Milch
200 g Creme fraiche
1/2 TL weißen Pfeffer aus der Mühle
1/4 TL geriebene Muskatnuss
500 ml Geflügelbrühe, instand
3 Scheiben Weißbrot
3 EL Butter, 3 EL geriebener
Greyerzer (Gruyère) Käse

Backofen auf 150° vorheizen. Kürbisfleisch aus der Schale lösen, Kerne entfernen und Kürbisfleisch in Würfel schneiden. Creme fraiche mit Milch, Salz, Pfeffer, Muskatnuss und Geflügelbrühe verrühren. Die Flüssigkeit mit dem Kürbisfleisch mischen und alles in eine feuerfeste Form füllen, zugedeckt in den Backofen stellen und 1 Stunde garen.

Weißbrotscheiben in kleine Würfel schneiden. Butter in einer Pfanne zerlassen, Brotwürfel goldgelb darin anrösten. Suppe aus dem Backofen nehmen, mit dem Mixer ganz fein pürieren und nochmals erhitzen. In 6 Suppentassen füllen und Brotwürfel sowie Käse darüber streuen.

Hauptspeise: *Sektbrüstchen mit grünen Erbsen (poule au Champagne aux petits pois)*

6 Hähnchenbrustfilet
1/2 TL weißen Pfeffer aus der Mühle
600 g ausgehülste, frische Erbsen
1 Sträußchen Petersilie
1/2 l trockenen Sekt
150 g Butter
6 Schalotten
2 Kopfsalat
1 TL Salz

Reisbeilage

400 g Langkornreis
2 EL Safranfäden
1 EL Öl, 1 EL Butter
Salz

Zubereitung

Schalotten schälen und achteln. Vom Salat etwa ein Drittel der äußeren Blätter entfernen. Die Salatherzen waschen und in der Salatschleuder trocknen, in Streifen schneiden. Petersilie waschen und hacken. Filets waschen, trocknen und Sehnen bzw. Haut entfernen. Die Hälfte der Butter in einer Pfanne zerlaufen lassen, Schalotten glasig anbraten und aus dem Topf nehmen. Den Rest der Butter in die Pfanne geben und Hähnchenbrustfilets bei mittlerer Flamme von beiden Seiten goldbraun braten, salzen, pfeffern, herausnehmen und warm stellen. Schalotten wieder in das Bratfett geben, ebenso Erbsen. Salatstreifen und Petersilie miteinander vermischen, Sekt hineingießen, salzen. Alles in 30 Minuten weich dünsten. Hähnchenbrustfilets obenauf legen und 10 Minuten erhitzen. Abschließend alles auf einer vorgewärmten Platte anrichten.

Reis in einen Messbecher schütten, Markierungslinie merken. Nun die 1 1/2 fache Menge Wasser darin abmessen, dieses in einem Topf mit Salz, Safran und Öl zum Kochen bringen. Reis dazugeben, kurz aufkochen, Hitze reduzieren und Reis ca. 15 Min. quellen lassen. Zum Schluss die Butter hinzufügen, mit einer Gabel vorsichtig mischen und in eine vorgewärmte Schüssel füllen.

Dessert: *Unter einem Baldachin*

Bei diesem Dessert besteht der Baldachin aus Eischneeklößchen, die eine besondere Süßspeise „behüten".

Für die Süßspeise:
6 EL Ananasstücke
4 EL Zucker,
4 EL Wasser
1 l Milch, 3 Eigelb
6 EL geraspelte Zartbitter-Schokolade
60 g Speisestärke wenig Wasser
1/2 l Sahne
Eierlikör

Für den Baldachin:
6 Eiweiß
3 Päckchen Vanillezucker

Zubereitung

Die Schokolade mit Zucker und Wasser in einen Topf geben. Unter Rühren erwärmen. Milch hinzufügen, zum Kochen bringen. Speisestärke mit wenig Wasser anrühren, in die kochende Milch einrühren. Sobald die Masse dickflüssig ist, vom Herd nehmen und Eigelb sowie Ananasstücke unterheben. Creme abkühlen lassen. Sahne steif schlagen und unter die abgekühlte Creme ziehen. Creme in 6 Eisschalen füllen, im Kühlschrank 1 Stunde kalt werden lassen.

Topf mit Wasser aufsetzen, zum Kochen bringen. Eiweiß mit Vanillezucker sehr steif schlagen. Wenn das Wasser siedet, nicht sprudelnd kocht, sticht man mit einem EL kleine Klößchen vom Eischnee ab und gibt sie in das Wasser, immer 5 an der Zahl, lässt sie einige Sekunden darin ziehen, rasch umdrehen, ebenfalls kurz ziehen lassen, mit einem Schaumlöffel herausnehmen und auf die erkaltete Creme dekorieren. In dieser Weise alle Klößchen garen. Abschließend auf jeden Baldachin noch schmale Streifen von Eierlikör gießen.

's Gschichtle

Kanada, dessen Pro-forma-Staatsoberhaupt nach wie vor Königin Elisabeth II. von England ist, erstreckt sich über sechs Zeitzonen. Dieser Riesenstaat grenzt im Süden an die USA, im Nordwesten an den US-Bundesstaat Alaska. Er nimmt fast den gesamten Norden des nordamerikanischen Kontinents ein. Der Staat gliedert sich in 10 Provinzen und 2 Territorien. Die Landschaft ist im Westen durch die Rocky Mountains, im Zentrum durch den Getreideanbau, im Südosten die großen Seen und im Norden die arktische Tundra geprägt. So riesig und vielfältig das Land ist, so interessant sind für uns die Ureinwohner (indigene Bevölkerung) Kanadas. Man unterscheidet drei Gruppen Ureinwohner: die First Nations (früher „Indianer"), die Inuit (früher „Eskimos") und die Métis, Nachfahren von Siedlern und Pelzhändlern, die mit First-Nations-Frauen eine Verbindung eingegangen waren.

Das folgende Rezept stammt aus Winnipeg. Das ist die Hauptstadt der Provinz Manitoba, die etwa in der Mitte Kanadas liegt. Manitoba klingt indianisch, so dass man daraus schließen kann, die Ureinwohner dieser Provinz waren First Nations.

Vorspeise: **Shrimpcocktail**

Hauptspeise: **Gegrilltes Flankensteak** ***(Grilled flank steak)***
Beilage: **Wilder Reis mit Pilzen** ***(wild rice and mushroom casserole)***

Dessert: **Rosanas königliche Schleckerei**

Vorspeise: ***Schrimpkocktail***

600 g tiefgefrorene Shrimps
150 g schwarze Oliven
250 ml süße Sahne
1 TL Worcestersauce
1/2 TL Zucker
1 EL Zitronensaft
1/4 TL Salz, 1 TL Senfpulver
1 TL Sardellenpaste
Blätter von einem Kopf grünen Salat
3 EL gewürfelte Ananas

Zubereitung S. 131 re. Sp.

Hauptspeise: ***Gegrilltes Flankensteak (grilled flank steak)***

6 Stück Steak (aus der Flanke, Bauchlappen, des Ochsen) vom Metzger schneiden lassen
6 Knoblauchzehen
1 Stück Ingwerwurzel
125 ml Sojasoße
150 ml trockenen Sherry
150 g Zucker
250 ml trockenen Rotwein
1 TL Speisestärke, Salz
weißer Pfeffer aus der Mühle

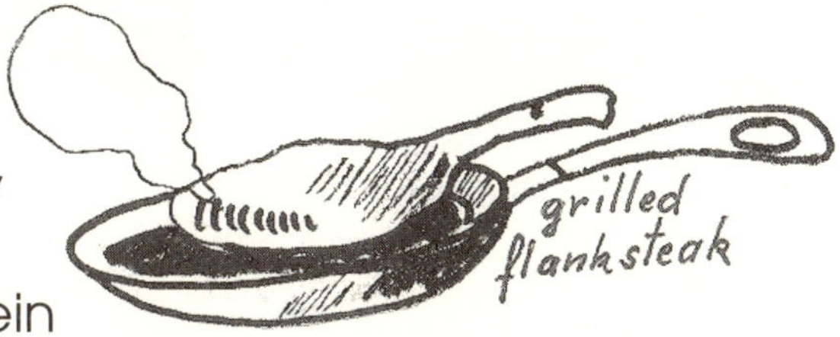

Beilage: ***Wilder Reis mit Pilzen (wild rice and mushroom casserole)***

250 g wilder Reis
je 1 TL getrockneter Thymian und getrocknetes Basilikum
1 l Geflügelbrühe (Fertigprodukt)
750 g Pilze
2 Gemüsezwiebeln
100 g Butter
1/2 TL Salz
1/2 TL weißer Pfeffer aus der Mühle
3 EL gehackte Petersilie

Vorspeisenzubereitung

Shrimps auftauen lassen, kalt abbrausen, gut abtropfen lassen. Oliven ebenfalls abbrausen, abtropfen lassen und Steine entfernen, in dünne Scheiben schneiden. Sahne halbsteif schlagen. Worcestersauce mit Zucker, Salz, Zitronensaft, Sardellenpaste und Senfpulver gut verrühren. Dieses dann mit der halbsteifen Sahne mischen. Salatblätter waschen, schleudern und in 6 Schalen legen. Shrimps mit den Ananaswürfeln und Olivenscheiben zusammen mit der Sahne mischen und in den vorbereiteten Schalen anrichten.

Zubereitung

Fleisch abbrausen, gut trocken tupfen. Knoblauch schälen und zerdrücken. Ingwer schälen, raspeln, so viel, dass es 1 EL ergibt. Sojasoße mit Sherry, Ingwer, Knoblauch und Zucker rühren, so lange, bis sich der Zucker aufgelöst hat. Die Steaks nebeneinander in ein flaches Gefäß legen, mit der Marinade begießen und mindestens 2 Stunden marinieren. Dabei immer wieder wenden und beträufeln. Elektrogrill vorheizen, Steaks abtropfen lassen und auf das Grillrost legen. Jede Steakseite so lange grillen, bis sie gut gebräunt ist. Während des Grillens zwei Mal mit Marinade bestreichen. Den Marinaderest in einen Topf geben, Rotwein dazugießen, zum Kochen bringen. Mit wenig Wasser Speisestärke anrühren und Soße damit andicken, mit Salz und Pfeffer abschmecken. Die fertig gegrillten Steaks auf einer vorgewärmten Platte anrichten und bei Tisch in Scheiben schneiden. Die Soße wird extra in einer Schüssel gereicht.

Wilden Reis unter fließendem Wasser waschen und mit den Gewürzen sowie dem Salz und der Geflügelbrühe in einen Topf geben und zugedeckt zum Kochen bringen. Sobald er kocht, Hitze reduzieren und ca. 45 Minuten ausquellen lassen. Backofen auf 180° vorheizen.

Pilze putzen, waschen und große in Scheiben schneiden, kleine halbieren. Zwiebeln schälen, würfeln. Butter in einer großen, feuerfesten Form zerlassen. Zwiebeln darin goldgelb anbraten. Pilze dazugeben und mitbraten, bis sie leicht gebräunt sind. Nun mit Salz und Pfeffer abschmecken. Den gequollenen Reis mit der verbliebenen Geflügelbrühe unter die Pilze mischen, abdecken und im Backofen 15 - 20 Minuten ziehen lassen. Vor dem Servieren mit Petersilie bestreuen.

Dessert: ***Rosanas königliche Schleckerei***

Diese Nachspeise ist ein Schokoladenbad der Sinne

100 g bittere Schokolade
60 g Zucker, 1/8 l Milch
1 Eigelb, 3 Eiweiße
2 EL Zucker, 4 EL Butter
2 TL Vanillezucker
80 g Zucker, 2 Eigelbe
1/2 Tasse Milch
1 Prise Salz
200 g Mehl, 1 TL Backpulver

1/2 l süße Sahne
1 TL Vanillezucker
3 EL Puderzucker
2 EL Kakaopulver
2 EL Borkenschokolade

für die Backform:
Butter und Mehl

Dessertzubereitung

Springform ausfetten und mit Mehl bestreuen. Backofen auf 180° vorheizen. Schokolade zerlassen. Zucker mit Milch und Eigelb verquirlen und unter die Schokolade rühren, abkühlen lassen. Eiweiße mit Zucker steif schlagen. Butter, Vanillezucker und Zucker schaumig rühren. Eigelbe, Milch, Salz und Mehl zusammen mit dem Backpulver unterrühren. Die abgekühlte Schokomasse unterziehen, abschließend Eischnee unterheben. Den Teig in die Springform füllen und im Ofen ca. 45 Minuten bei 180° backen. Fertigen Kuchen erkalten lassen. Sahne mit Vanille- und Puderzucker steif schlagen und Kakaopulver unterrühren. Die Torte in der Mitte durchschneiden, so dass man eine obere und untere Hälfte bekommt. Sahne auf der unteren Hälfte verteilen und obere Hälfte wieder aufsetzen. Die Außenseite der Torte dick mit Sahne einhüllen und mit Borkenschokolade bestreuen. Mindestens 1 Stunde kalt stellen. Vor dem Servieren in 6 Stücke schneiden und auf Glasteller reichen.

's Gschichtle

Wir wissen, dass der Freistaat Bayern flächenmäßig das größte Bundesland Deutschlands ist. Ein Stein in der Oberpfalz, den Napoleon 1805 setzen ließ, zeigt uns dort Europas Mittelpunkt. Das bayerische Land wurde schon im 8. Jahrhundert von Bischof Arbeo von Freising gepriesen: „Herrlichstes Land, erstrahlend in Anmut, überreich an Wäldern, fruchtbar an Wein ... die Männer hochgewachsen und strotzend in Kraft, aber gutmütig und handsam, das Erdreich gesegnet mit Garben, Zugvieh und Herden ..." usw. Einen Lobpreis des Bischofs auf die bayerischen Frauen konnte ich nirgendwo finden. Deshalb soll dieses Rezept im Namen aller Bayerinnen geschrieben sein, die sicher nicht nur ihre „hochgewachsenen und in Kraft strotzenden, gutmütigen Männer" ernähren, sondern ihre Qualitäten in vielfacher Hinsicht täglich unter Beweis stellen.

Vorspeise: **Israelische Maultaschensuppe, *Kreplach* genannt**

Hauptspeise: **Bayrisch Kraut mit Helgas Reiberdatschi und Würstel**

Dessert: **Quarknockerln mit Erdbeeren**

Vorspeise: *Israelische Maultaschensuppe,* *Kreplach genannt*

2 l Rindfleischbrühe, am Vortag zubereiten (s. Menü 4 / S. 33)
4 Eier
2 EL Öl
1 gestrichenen TL Salz
400 g Mehl
400 g gekochtes Rind- oder Geflügelfleisch
je 2 EL gehackte Petersilie und Zwiebelwürfel
1 EL Gänseschmalz, wahlweise Öl
1 gestrichenen EL Salz
je 1/2 TL schwarzen Pfeffer und Ingwerpulver
2 EL in Röllchen geschnittenes Schnittlauch

Hauptspeise: *Bayrisch Kraut*

Bayrisch Kraut:

2 kg Weißkraut
2 große Gemüsezwiebeln
60 g Schweineschmalz
3 Äpfel (Boskop)
1/2 TL Zucker, Salz
3/4 l Fleischbrühe aus Würfeln
4 EL Essig, 2 EL Mehl
1/2 l trockenen Weißwein
200 g durchwachsener Speck

Vorspeisenzubereitung

Eier mit Salz und Öl verquirlen, nach und nach so viel Mehl dazugeben, dass ein fester Teig entsteht. Den Teig sehr dünn ausrollen und in 5 cm große Quadrate schneiden. Fleisch durch die feinste Scheibe des Fleischwolfes drehen. Das Hackfleisch mit Petersilie, Zwiebelwürfeln, Schmalz, Salz, Pfeffer und Ingwerpulver mischen. Die Füllung auf den Teigquadraten verteilen und die Teigränder zu Dreiecken zusammenlegen. Eine in Mehl getauchte Gabel nehmen und die Ränder fest zusammendrücken. Die fertigen Kreplach auf einer bemehlten Arbeitsfläche 1 Stunde ruhen lassen, dann in leicht kochendem Wasser 15 Minuten garen. Währenddessen die Rindfleischbrühe vom Vortag zum Kochen bringen, vom Herd nehmen. Wenn die Kreplach fertig sind, auf einem Sieb abschütten und in die heiße Brühe geben. Schnittlauch darüber streuen, sofort servieren.

Hauptspeisenzubereitung

Weißkrautköpfe von äußeren Blättern befreien, vierteln und Strunk herausschneiden. Blätter ablösen und dicke Blattrippen wegschneiden. Das Ganze in feine Streifen schneiden. Zwiebeln schälen, fein hacken. Schweineschmalz erhitzen und Zwiebelwürfel goldgelb darin bräunen.

Äpfel schälen, entkernen und raspeln, zusammen mit dem Kraut zu den Zwiebeln geben. Zucker, Salz, Fleischbrühe hinzufügen. Alles 45 Minuten dünsten. Nun mit Essig abschmecken, das mit wenig Wasser angerührte Mehl dazugießen und noch 5 Minuten leicht aufkochen lassen. Weißwein unterrühren. Abschließend den Speck würfeln, in der Pfanne rösten, über das Kraut geben und mischen.

Kartoffeln schälen, unter kaltem Wasser abspülen, mit Haushaltpapier trocknen. Auf der feinen Raspelscheibe der Küchenmaschine reiben. Zwiebeln schälen, ebenfalls reiben, zu den Kartoffeln geben. Die Masse auf einem Sieb abseihen. Eier darüber aufschlagen, Salz und Kümmel hinzufügen, gut verrühren. Die Kartoffelmasse sollte gut sämig sein. Butterschmalz in einer Pfanne erhitzen und den Teig mit einer Schöpfkelle oder Esslöffel in die Pfanne tun. Je nach dem werden die „Datscherln" größer oder kleiner. Jede Seite sollte 3 Minuten knusprig braun gebraten werden. Rausnehmen, Fett abtropfen lassen, sofort mit Würstel und Kraut servieren.

Die Würstel sollten original bayrisch sein, wenn möglich in Bayern kaufen, oder Nürnberger Würstel, die es in fast jedem Supermarkt gibt. Dabei sollten Sie bedenken, dass man pro Person mindestens 6 Würstel berechnet, da diese bayrische Spezialität nicht größer und dicker als ein Finger ist. Für unser 6-Personen-Rezept also 36 Stück.

Helgas Reiberdatschi

2, 5 kg große Kartoffeln
4 große Zwiebeln
6 Eier
Salz,
1/2 EL gemahlener Kümmel
Butterschmalz

Man kennt sie in anderen Gegenden Deutschlands auch als Kartoffelpuffer oder Reibekuchen. Wie auch immer sie genannt werden, sie schmecken vorzüglich.

Würstel in die saubere Spüle nebeneinander legen und mit kochendem Wasser überbrühen, damit sie auf dem Grill nicht platzen. Nun auf ein Küchentuch legen, ggf. noch trockentupfen. Grill anmachen und von allen Seiten braun rösten. Dazu gibt es original bayrischen, süßen Senf.

Dessert: ***Quarknockerln mit Erdbeeren***

Quarknockerln
500 g Quark
500 g Joghurt
2 Päckchen Gelatine (18 g)
5 EL Zucker
2 EL Zitronensaft

Erdbeermus
500 g Erdbeeren
2 TL Zitronensaft
4 EL Zucker
Sprühsahne

Zubereitung

Quark mit Joghurt in einen Topf geben, etwas erwärmen und mit Zitronensaft sowie Zucker gut verrühren. Gelatine mit wenig Wasser anrühren und quellen lassen. Langsam bei ständigem Rühren Gelatine erwärmen, bis sie klar ist, nicht kochen. Abschließend, unter weiterem Rühren, die Gelatine in die Quark-Joghurt-Speise hineintröpfeln lassen. Alles in eine Glasschüssel umfüllen und im Kühlschrank steif werden lassen.
Erdbeeren waschen, Blätter entfernen, gut abtropfen lassen und die Hälfte der Menge der Länge nach halbieren. 1 TL Zitronensaft darüber träufeln und 2 EL Zucker dazugeben. Vorsichtig unterheben und ziehen lassen. Über die zweite Hälfte Erdbeeren restlichen Zucker und Zitronensaft geben, mit dem Mixer zerkleinern und mischen.
Den Boden von 6 Glas Dessertschalen mit Erdbeermus bestreichen. Die steife Quarkmasse aus dem Kühlschrank nehmen und mit einem Esslöffel, der jeweils in heißes Wasser getaucht wird, dicke Nockerln abstechen und auf das Mus dekorieren. Abschließend gibt man die halbierten Erdbeeren auf die Nockerln und spritzt mit der Sprühsahne ein paar Sterne dazwischen.

's Gschichtle

Die grüne Insel Irland, am nordwestlichen Rand Europas gelegen, wird für viele reisefreudigen Mitmenschen immer wieder ein lohnendes Ziel sein. Nicht nur Dublin ist bekannt für seine Kulturdenkmäler, historische Bauten, Klosterruinen,Schlösser, alte Handschriften und vieles mehr. Jede Grafschaft Irlands hat ihre Liebreize und Besonderheiten. Im Norden, Westen und Süden vom Atlantik begrenzt und im Osten durch die Irische See von England getrennt, kann man in den einzelnen Counties die unterschiedlichsten Erfahrungen mit den Menschen machen und vor allem an den romantischen Meeresküsten entspannen.

Die erste Sprache ist nicht Englisch, sondern Gälisch. Englisch rangiert erst an zweiter Stelle. Trotzdem sollten Irlandreisende Englisch sprechen können, da es für eine gute Kommunikation mit den Menschen unerlässlich ist.

Vorspeise: **Gefüllte Schinkentüten aus Irland**
(stuffed ham bag from Irland)

Hauptspeise: Arme-Leute-Essen *(Meal for poor people)*

Dessert: **Hannchens Zwetschgenknödel in Buttersoße**

Bis zum Zweiten Weltkrieg war dort wie in Deutschland auch die Großfamilie vorherrschend. Mütter in solchen Großsippen mussten erfinderisch sein, da überwiegend „Schmalhans Küchenmeister war"! Die folgende Hauptspeise ist so eine Mahlzeit, die mit dem, was man selbst anbaute, gekocht wurde. Unser Rezept hier soll nicht gar so ärmlich sein, deshalb gibt es Fleisch dazu.

Vorspeise: ***Gefüllte Schinkentüten aus Irland***
(stuffed ham bag from Irland)

3 Eier
3 Avocados
2 EL Zitronensaft
3 Tomaten
3 Lauchzwiebeln
1 Kopf grüner Salat
50 g Erdnusskerne
6 EL saure Sahne 20%
2 EL Weißweinessig
1 EL Öl
1/2 TL schwarzen Pfeffer
1/2 TL Kräutersalz
1 Msp. Cayennepfeffer
6 große Scheiben Schinken
1 Bund Petersilie

Hauptspeise. ***Arme-Leute-Essen***
(Meal for poor people)

1,5 kg Lammkeule (o. Knochen)
1500 g Kartoffeln
500 g Zwiebeln
250 g Möhren
1 Knolle Sellerie
3 Stangen Lauch
Salz
1 Sträußchen frischer Thymian
1,5 l Gemüsebrühe aus Würfeln, wird mit
1 EL buntem Pfeffer aus der Mühle versetzt
3 EL gehackte Petersilie

Vorspeisenzubereitung

Eier hart kochen, abschrecken, schälen und hacken. Avocados halbieren, Schalen und Kern entfernen, in schmale Streifen schneiden und mit dem Zitronensaft beträufeln. Tomaten häuten, Stängelansätze herausschneiden und die Kerne sowie das Weiche entfernen. Den Rest ebenfalls in Streifen schneiden. Lauchzwiebeln schälen, gut waschen, das Lauch in zarte Streifen schneiden, die Zwiebeln würfeln. Salat zerlegen, waschen, trockenschleudern. Die zarten inneren Blätter in sehr dünne Streifen schneiden. Erdnüsse hacken. Saure Sahne mit Essig, Öl, Pfeffer, Kräutersalz, Cayennepfeffer verrühren. Alle anderen Zutaten, bis auf die großen Salatblätter und Petersilie, mit der Sahnesoße vermischen. Die 6 Schinkenscheiben nebeneinander auf eine Arbeitsfläche legen, gleichmäßig die Masse darauf verteilen und die Schinkenscheiben zu Tüten zusammenrollen. Jede Tüte wird auf einem großen Salatblatt angerichtet und mit Petersilienstängeln garniert.

Hauptgericht-Zubereitung

Fleisch waschen, trockentupfen, Sehnen und Fett entfernen und in dünne Scheiben schneiden. Gemüsesorten putzen, waschen, in Scheiben bzw. Ringe oder Streifen schneiden. Backofen auf 175° vorheizen. Eine große feuerfeste Form nehmen, den Boden mit einer Schicht Kartoffeln bedecken, darauf eine Schicht Gemüse, darauf die Hälfte der Zwiebeln und salzen. Nun legt man einige Stängel Thymian und die Hälfte des Lammfleisches darauf. Die restlichen Zutaten werden wieder in gleicher Weise geschichtet. Den Abschluss bildet eine Kartoffelschicht. Jetzt wird 1 l der Gemüsebrühe darüber gegossen. Die Form abdecken und ca. 2 Stunden im Backofen garen lassen. Nach einer Stunde kontrollieren, ob noch genug Flüssigkeit in der Form ist, sonst nachgießen. Wenn die Kartoffeln ganz zerfallen sind und mit der Garflüssigkeit eine dicke Soße bilden, ist die Mahlzeit servierbereit. Abschließend mit Petersilie bestreuen.

Dessert: *Hannchens Zwetschgenknödel in Buttersoße*

36 reife, feste Zwetschgen
(pro Person 6 Stück)
4 mittelgroße Kartoffeln
400 g Magerquark
Mehl, soviel der Teig annimmt
250 g Butter, 1 Ei
100 g Semmelbrösel
Zucker

Dessertzubereitung

Es ist darauf zu achten, dass der Quark und das Ei nicht direkt aus dem Kühlschrank genommen werden, sondern Zimmertemperatur haben. Zwetschgen gut waschen, einzeln mit Küchenpapier trocknen. Kartoffeln kochen, heiß pellen und sofort pürieren. Die heiße Püriermasse in eine vorgewärmte Schüssel geben und mit dem Ei und dem Quark mischen. Langsam, unter ständigem Kneten Mehl dazugeben. Der Teig sollte abschließend etwa die Konsistenz von Mürbteig haben, sich aber ziehen lassen. Nun wird der Teig zu einer Wurst gerollt, von ca. 5 cm Durchmesser. Man schneidet davon 1,5 cm dicke Scheiben ab und umhüllt damit die Zwetschgen. Achtung, die Zwetschgen sollten ganz mit Teig bedeckt sein, der auch keine Risse zeigen soll. Tipp: Hände immer wieder mit Mehl bestäuben!

Wasser in einem großen Topf zum Kochen bringen und die Zwetschgen hineingeben. Wenn sie an der Oberfläche schwimmen, Hitze reduzieren und 10 Minuten ziehen lassen. Mit einem Schaumlöffel in ein Sieb legen, abtropfen lassen und in vorgewärmte Schüssel legen, zuckern. Warm stellen. Butter in einer Pfanne schmelzen lassen und Semmelbrösel dazugeben, leicht mit der Butter anbräunen. Die Zwetschgen in 6 Dessertschalen verteilen und mit brauner Butter begießen. Sofort servieren.

5 Rezepte

zu besonderen Festen im Familien- und Jahreskreis:

Nikolaus - Weihnachten - Fasnet - Kindtaufe - Leichenschmaus

In jeder Familie werden Feste gefeiert. So hielten wir es auch in unserer Seniorenwohnanlage. Viele unserer Bewohner lebten allein in ihren Wohnungen, da der/die PartnerIn verstorben war. Zu den Festen kamen natürlich Kinder und Enkel zu Besuch, und wir veranstalteten in unserer Begegnungsstätte gemeinsame Feiern für die ältere Generation und ihre Angehörigen.

's Gschichtle

In direkter Nachbarschaft zur Seniorenwohnanlage gibt es einen Kindergarten, mit dem wir in regem Kontakt standen. Zum einen hatten wir einen gemeinsamen Träger, den Caritasverband Freiburg Stadt, zum anderen pflegten die Erzieherinnen und Kinder den Kontakt zu den Opas und Omas in unserem Haus. Beispielweise gestalteten wir am Ende eines jeden Monats den Geburtstagskaffee für diejenigen, die in dem besagten Monat das Licht der Welt erblickt hatten. Dies war ein Anlass, die Kinder zu einem Geburtstagsständchen für unsere betagten „Geburtstagskinder“ zu bitten. Umgekehrt wurden die Senioren zu bestimmten Festen wie z.B. St. Martin oder Nikolaus zu dem kleinen Völkchen eingeladen.
Die Kochgruppe war sich mit St. Nikolaus einig, dass dieses Menü eine besondere Überraschung werden sollte.

Vorspeise: **Bleichselleriecocktail mit Maronen**

Hauptspeise: **Filet mit Pfifferlingsragout und Spagettiauflauf**

Dessert: **Bratäpfel mit Zimtsternen**

Vorspeise: ***Bleichselleriecocktail mit Maronen***

2 Bund Bleichsellerie
300 g Maronen vakuumverpackt
2 EL helle, ungeschwefelte Rosinen
200 g französischen Roquefort schnittfest

Für die Soße:
1/2 Tasse sehr gutes Öl
1 gestrichenen EL Salz
1 TL weißer Pfeffer

Zubereitun S. 143 re. Sp.

Hauptspeise: *Filet mit Pfifferlingsragout und Spagettiauflauf*

600 g Rinderfilet
600 g Schweinefilet
Öl zum Anbraten
3 mittelgroße Zwiebeln
3 EL Butter
3 EL Tomatenmark
1 Tasse trockenen Rotwein
1 Tasse Fleischbrühe
Salz,
schwarzer Pfeffer
Tabascosauce
Mehl zum bestäuben

Hauptgerichtszubereitung

Fleisch waschen und gut trocknen, in 4 cm große Würfel schneiden, mit Mehl bestäuben. In einer Kasserolle Öl heiß werden lassen, die Fleischwürfel hineingeben und goldgelb anbraten, mit Salz und Pfeffer bestreuen und dann mit einem Schaumlöffel aus dem Fett nehmen, beiseite stellen. Die Zwiebeln fein hacken, in einer Pfanne mit der Butter hellbraun werden lassen. Nun in die Kasserolle Tomatenmark, Brühe, Wein und einige Spritzer Tabascosauce geben. Alles aufkochen, die Fleischwürfel und Zwiebeln hinzufügen und bei mittlerer Hitze 15 Minuten im Backofen köcheln lassen. Vor dem Servieren nochmals mit Pfeffer und Salz abschmecken.

Vorspeisenbereitung

Maronen aus der Packung nehmen und zusammen mit Rosinen in lauwarmen Wasser quellen lassen. Bleichsellerie auseinandernehmen, Stangen gründlich waschen, abtropfen lassen, die gelben bzw. grünen Blätter ablösen und beiseite stellen. Salzwasser zum Kochen bringen und die Stangen 2 Minuten sprudelnd kochen, herausnehmen, kalt stellen. Rosinen und Maronen gut abtropfen lassen, mit Küchenpapier trocknen. Kalte Selleriestangen in dünne Streifen schneiden. Käse würfeln. Alle Zutaten vorsichtig mischen, damit nichts zerdrückt wird, und dekorativ auf 6 Glastellern verteilen. Mit den zarten Blättchen vom Stangensellerie die einzelnen Teller umstekken. Die Soße mit Öl, Salz und Pfeffer zubereiten und über jeden Teller gießen, nicht mehr verrühren, gleich servieren.

Pfifferlingsragout
750 g Pfifferlinge
2 große Zwiebeln
100 g geräucherter Schwarzwälder Schinken
50 g Butter
1 1/2 EL Mehl
Salz, weißer Pfeffer
1 gestrichener TL Paprika edelsüß
1 Msp. zerriebener Majoran
1/4 l heiße Fleischbrühe aus Würfeln
1/8 l Rotwein
200 ml Schlagsahne
1 Bund Petersilie

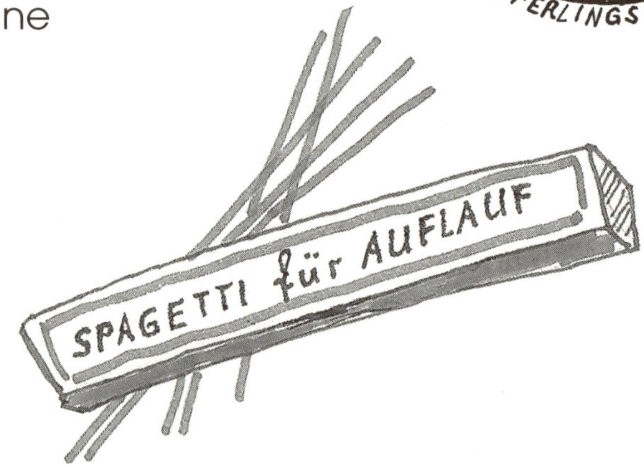

Ragoutzubereitung

Pfifferlinge putzen, gründlich waschen, auf einem Sieb gut abtropfen lassen. Zwiebeln schälen, fein hacken. Schinken in kleine Würfel schneiden. In einem Topf Speck mit der Butter erhitzen und Zwiebeln mit Pfifferlingen hineingeben, 10 Minuten schmoren lassen. Mehl darüber stäuben und unterrühren. 5 Minuten rösten. Mit Salz, Pfeffer, Paprika und Majoran würzen. Heiße Fleischbrühe und Rotwein zugießen, 2 Minuten durchkochen lassen. Topf vom Herd nehmen und Sahne einrühren. Abschließend nochmals erhitzen, aber nicht mehr kochen lassen. Petersilie waschen, gut trockentupfen. Pfifferlingsragout in eine vorgewärmte Schüssel füllen und mit zerpflückter Petersilie garnieren.

Spagetti in reichlich Salzwasser bissfest kochen. Wasser abschütten, mit kaltem Wasser abschrecken und gut abtropfen lassen. Nun eine Schüssel nehmen, die Spagetti hineingeben und mit den Eiern, der flüssigen Butter und dem Mehl gut vermischen. Dann wird eine größere Pfanne genommen und die feste Butter darin zerlassen. Ohne nochmals umzurühren, wird das Nudel-Eigemisch darüber gegeben. Die Pfanne mit einem Deckel verschließen. Auf kleiner Flamme lässt man das Ganze stocken. Wenn der Auflauf fest ist, wird er auf eine große, vorgewärmte, flache Schüssel gestürzt und wie eine Torte aufgeschnitten.

Spagettiauflauf
600 g Spagetti
Salz,
3 Eier
3 EL flüssige Butter
2,5 EL Mehl
4 walnussgroße Stücke Butter

Dessert: ***Bratäpfel mit Zimtsternen***

6 große feste Äpfel
6 EL Himbeermarmelade
2 TL Zitronensaft
etwas Zucker
1 EL Butter
150 g Mandelstifte
500 ml Schlagsahne
1 EL Zucker
1 TL Zimt
6 Zimtsterne
zur Dekoration

Zubereitung

Äpfel waschen und gut trocknen. Mit einem Stecheisen das Kerngehäuse aus der Mitte stechen, so dass ein Schacht entsteht. Vom Herausgestochenen je ein fingerbreites Stück abschneiden und unten als Pfropfen wieder hineinstecken. Die Äpfel in eine Tonschale nebeneinander setzen und jeweils in den Schacht der Äpfel 1 EL Himbeermarmelade geben. An der Außenseite werden sie mit Zitronensaft eingerieben und mit Zucker, der hängen bleiben soll, bestreut. Sie werden im Backofen bei 200° 15 Minuten gebacken. In der Zwischenzeit wird die Sahne mit dem Zimt und Zucker steif geschlagen und die Mandelstifte mit der Butter in einer Pfanne goldgelb geröstet. Jetzt 6 Dessertschalen nehmen und auf jeden 2 EL geschlagene Sahne verteilen. Darüber streut man die gebräunten Mandelstifte. Die Bratäpfel werden in die Mitte gelegt und ringsherum mit der restlichen Sahne dekoriert. An den Tellerrand je einen Zimtstern legen. Zeitlich sollte das Ganze so abgestimmt sein, dass die Bratäpfel heiß serviert werden.

's Gschichtle

Die Kochgruppe bereitete in der letzten Adventswoche ihr Weihnachtsfestessen zu, da die Festtage von den älteren Herrschaften mit ihren Kindern und Enkeln verbracht wurden. Auf Wunsch der Genießergruppe gab es das, wovon schon die Senioren als Kinder geträumt hatten und jede Oma heutzutage einen extra Geheimtipp für die Zubereitung kennt. Dieses wunderbare Menü hatte zur Folge, dass die Schlemmergruppe zu einer außergewöhnlichen Anzahl anschwoll. Das freute und ehrte unser Kochteam. Wir schufteten den ganzen Vormittag in der Küche. Als wir später jedoch die zufrieden glänzenden Gesichter sahen, war alle Mühe vergessen, und jeder freute sich auf die bevorstehenden Feiertage.

Vorspeise: **Gebundene Gemüsesuppe aus Frankreich *(Garbure)***

Hauptspeise: **Gänsebrust mit Rotkohl nach Agnes und Hannchens Serviettenknödel**

Dessert: **Mandarinen-Sahne-Gelee**

Vorspeise: *Gebundene Gemüsesuppe aus Frankreich (Garbure)*

1 Rinderbeinscheibe, 400 g
150 g Butter
3 Möhren
3 Kohlrabi
1 Sellerieknolle
2 Stangen Lauch
3 Zwiebeln
3 Kartoffeln
Salz, Pfeffer aus der Mühle
4 Gemüsebrühwürfel
von Cenovis (Reformhaus)
1 Sträußchen gehackte Petersilie
200 ml süße Sahne

Vorspeisenzubereitung

Beinscheibe abbrausen. Die verschiedenen Gemüsesorten putzen, waschen und in Würfel schneiden. Butter in einem Topf schmelzen und die zerkleinerten Gemüse darin kurz anbraten. Mit 1, 5 l Wasser auffüllen und Rinderbeinscheibe sowie Gemüsebrühwürfel hinzugeben. 1 1/2 Stunde köcheln lassen. Alles durch ein Sieb gießen. Das Fleisch vom Knochen lösen und Sehnen entfernen, in kleine Stücke schneiden. Das Gemüse pürieren und zusammen mit den Fleischstückchen wieder zurück in die Brühe geben. Den Sud kurz aufkochen lassen. Topf vom Herd nehmen, Sahne hineingießen, mit Salz und Pfeffer abschmecken. Abschließend in 6 Suppentassen füllen und Petersilie darüber streuen.

Hauptspeise: ***Gänsebrust mit Rotkohl nach Agnes mit Hannchens Serviettenknödel***

3 große Gänsebrüste
Salz, schwarzer Pfeffer aus der Mühle
1/2 TL Stärkemehl
1 Gemüsebrühwürfel
von Cenovis (Reformhaus)
Kognak

Hauptspeisenzubereitung

Die Gänsebrüste waschen und trocknen. Mit Salz einreiben und pfeffern, etwas ziehen lassen. In eine Kasserolle 1 Tasse Wasser schütten, den Gemüsebrühwürfel hineingeben und kurz aufkochen. Die Gänsebrüste nebeneinander hineinlegen und in den auf 200° vorgeheizten Backofen schieben. 1 Stunde zugedeckt schmoren lassen. Aus dem Backofen nehmen, das Fleisch vorsichtig vom Knochen lösen und halbieren. Die 6 Hälften wieder in den Sud legen, und zwar so, dass die Haut nicht mit Flüssigkeit bedeckt ist, ggf. etwas von dem Sud abschütten und beiseite stellen. Wieder zurück in den Backofen geben, Temperatur auf 250° erhöhen und ohne Deckel nochmals 15 Minuten bräunen lassen, dabei alle paar Minuten mit dem Sud aus der Kasserolle begießen und zum Schluss etwas Kognak über die Haut geben, damit sie schön knusprig wird. Vor dem Servieren das Fleisch kurz heiß stellen. Die Soße sollte 500 ml ergeben. Wenn sie durch Einkochen eine kleinere Menge aufweist, so gießt man Wasser hinzu. Stärkemehl anrühren, den Sud damit andicken. Abschließend nochmals mit Salz und schwarzem Pfeffer abschmecken. Die Soße wird separat vom Fleisch gereicht.

Zubereitung

Den Rotkohl halbieren, Strunk entfernen, in feine Streifen schneiden.

1 EL Gänseschmalz in einen Topf geben, zerlaufen lassen. Die Zwiebeln schälen, würfeln und darin glasig braten. Den Rotkohl dazugeben, kurz mitschmoren. Mit Rotwein, Essig und Wasser auffüllen. Äpfel waschen, schälen, achteln und zusammen mit den Gewürzen sowie Salz und Zucker hinzufügen. Den Rotkohl auf kleiner Flamme ca. 30 Minuten im zugedeckten Topf schmoren lassen. Achtung, aufpassen, dass der Rotkohl nicht anbrennt, ggf. kleine Mengen Wasser zugießen sowie gelegentlich umrühren. Wenn der Rotkohl gar ist (er sollte nicht zu weich, aber auch nicht zwischen den Zähnen knirschen), dann wird er noch nachgewürzt. Man gibt auf jeden Fall etwas Essig hinzu, Zucker und Salz nach Geschmack. Abschließend wird noch Gänseschmalz hinzugefügt. Das lässt den Kohl nicht nur glänzen, sondern erhöht auch den Genuss.

Rotkohl nach Agnes

1 Rotkohl, 3 Zwiebeln
3 Äpfel
Gänseschmalz
1/4 l Rotwein
150 ml Essig
2 EL Zucker, 1 TL Salz
1 Lorbeerblatt, 3 Nelken
5 Wacholderbeeren
1/2 TL Piment aus der Mühle

Hannchens Serviettenknödel

400 g Weizenmehl
1 P Backpulver
4 Eier
1 1/2 Brötchen

Übrigens falls etwas vom Knödel übrig bleibt, er schmeckt auch am anderen Tag hervorragend, wenn man die Scheiben in Butter brät.

Tipp für die Gewürze: Wenn Ihre Gäste die Nelken, Wachholderbeeren und Lorbeerblatt nicht herauspicken sollen, so füllen Sie diese in ein Tee-Ei. Nach dem Kochvorgang findet man es auf alle Fälle schnell und kann den Inhalt gesammelt entfernen.

Knödel-Zubereitung

Mehl, Backpulver, Eier zu einem Teig verarbeiten. So viel Wasser hinzufügen, dass die Konsistenz des Teiges sich zäh anfühlt. Brötchen in kleine Würfel schneiden, diese in einer beschichteten Pfanne, ohne Fett, hellbraun rösten, abkühlen lassen, unter den Teig mischen und alles zu einem Klumpen verkneten. Einen großen Topf mit Wasser füllen und ein Geschirrtuch darüber spannen, gut festbinden. Achtung, das Tuch sollte nicht mit einem Weichspüler gewaschen sein. Wenn das Wasser kocht, legt man den Knödelteigklumpen auf das Tuch. Er darf nicht mit dem Wasser in Berührung kommen! Nun eine Schüssel darüber stülpen, die genau mit dem oberen Topfrand abschließt. Der Knödel wird 1 Stunde mit dem durch das Tuch dringenden Wasserdampf gegart. Wenn er fertig ist, wird er in 3 cm dicke Scheiben geschnitten und diese in eine vorgewärmte Schüssel gelegt.

Dessert: *Mandarinen-Sahne-Gelee*

800 ml frisch gepresster Orangensaft
200 ml frisch gepresster Mandarinensaft
12 saftige Mandarinen
1/2 l Weißwein
Saft 1 Zitrone
3 EL Puderzucker
Johannisbeergelee
300 ml süße Sahne
2 Päckchen Vanillezucker
16 g Biobin
von Tartex (Reformhaus)

Dessertzubereitung

Mandarinen schälen, einzelne Schnitzel halbieren, von 2 Mandarinen die Schnitzel ganz lassen, diese beiseite stellen. Die restlichen werden in 6 Dessertschalen verteilt.

Wein, Orangen-, Mandarinen- und Zitronensaft in Gefäß schütten, Puderzucker dazugeben, alles gut vermischen. Das pflanzliche Bindemittel Biobin wird unter ständigen Rühren hineingestreut, gelieren lassen. Derweil Sahne mit Vanillezucker schlagen. Zum späteren Dekorieren einen kleinen Teil Sahne in einen Spritzbeutel füllen. Wenn die Masse am Erstarren ist, zieht man die geschlagene Sahne unter und gibt sie sofort über die Mandarinenschnitzel in die Dessertschalen. Diese werden kalt gestellt. Vor dem Servieren in die Mitte der Schale je 1 TL Johannisbeergelee geben. Die restlichen Schnitzel drum herum dekorieren und mit der Sahne Röschen dazwischen spritzen.

Närrische Schlemmereien über den Tag verteilt:

Baseler Zwibelewäie

Schwarzwälder Schäufele und Brägele

Scherben nach Erikas Rezept

's Gschichtle

Fastnacht wird in Freiburg - im alemannischen Raum - anders gefeiert als z. B. in den typischen Narrenhochburgen wie Köln, Düsseldorf oder Mainz. Dieses Ereignis heißt deshalb auch nicht Karneval, Fastnacht, Fasching, sondern Fasnet. Wenn die Fasnetwägen durch die Innenstadt ziehen, ist das ein ebenso buntes und lustiges Treiben wie anderswo.

Die Freiburger jedoch rufen sich nicht Helau oder Alaaf zu, sondern **Narri** mit dem dazu gehörigen Echo **Narro**!

Die Fröhlichkeit drückt sich anders aus. Auf mich wirkt sie nicht so ausgelassen wie bei den Rheinländern, eher ernsthafter, hintergründiger, auch wenn's widersprüchlich klingt. Das ist sicher eine Eigenart des Alemannenstammes.

Wer schon einmal in der Schweiz zum Morgenstraich in Basel war, wird mit Erstaunen festgestellt haben, dass die Baseler ihre drei närrischen Tage am Montag nach Aschermittwoch beginnen, wo jeder ordentliche Katholik längst seinen Aschermittwochskater gestreichelt hat. Sie starten um 4 Uhr in der Frühe, nachdem alle Lichter der Stadt gelöscht wurden, auf das Kommando vom Tambourinmajor: „Morgenstraich vorwärts marsch!" Schon sieht man völlig fasziniert die über alle Häupter ragenden Steckenlaternen, die sich darunter bewegenden dunklen Gestalten in Narrenkluft. Mit schrillen Pfeiftönen und dröhnenden Trommelschlägen ziehen sie von dannen.

Der Grund für die „verspätete Narretei hängt mit der Reformation 1529 zusammen. Vom damaligen Papst kam ein Erlass, der die Fastenzeit neu regelte. Die Baseler waren aufmüpfig und wollten das aus verschiedenen Gründen nicht.

Seither ist die Fastnacht dort ein evangelisches Spektakel, was für Katholiken sehr zu empfehlen und interessant ist. Als Zuschauer kann man den Eindruck gewinnen, dass der Morgenstraich eine todernste Angelegenheit ist.

Also nichts wie hin! „Narri - Narro!"

Da die Fasnetköchin am Rosenmontag nicht nur in der Küche weilen möchte, sondern das närrische Treiben aktiv mitgestalten will, weicht sie mit diesem Rezept etwas von dem Menü-„Dreigestirn" Vorspeise / Hauptspeise / Dessert ab. Über den Tag verteilt können verschiedene leckere Köstlichkeiten zubereitet werden. Sie sind typisch für das „Stammesgebiet" der Alemannen.

Dieser Zwiebelkuchen ist nach dem frühen Aufstehen zum Morgenstraich eine wirkliche Delikatesse, die wärmt, sättigt und dem Alkohol eine gute Unterlage bietet.

Baseler Zwibelewäie

Für den Teig:

350 g Mehl, 125 g Butter
1 Ei, 1 TL Backpulver
1/8 l trockenen Weißwein

Für den Belag:

800 g große Zwiebeln
Butterschmalz
130 ml Milch, 2 Eier
1 Becher Schlagsahne
Salz, Pfeffer
1/2 TL Zucker

Zwibelewäie-Zubereitung

Mehl mit Butter, Ei, Backpulver und Weißwein vermischen und einen schönen, glatten Teig daraus kneten. 1 Stunde im Kühlschrank ruhen lassen.
Zwiebeln schälen, in Ringe schneiden. Butterschmalz in einem Topf erhitzen, Zwiebeln darin glasig dünsten, nicht rösten. Milch, Salz, Pfeffer, Zucker dazugeben und so lange kochen lassen, bis alle Flüssigkeit verdampft ist. In der Zwischenzeit Eier und Sahne verquirlen, ebenfalls salzen und pfeffern. Eigemisch unter Zwiebeln rühren. Herdblech einfetten, mit Mehl bestäuben, den Teig darauf auswellen, Ränder an den Seiten hochziehen. Zwiebelmasse auf dem Teig verteilen. Im vorgeheizten Backofen bei 200° 40 - 50 Minuten backen. Der Zwiebelkuchen ist fertig, wenn er eine goldgelbe Farbe hat.

Für den frühen Fasnet-Nachmittag:

Schwarzwälder Schäufele und Brägele

1 1/2 kg Schäufele
5 große, gewürfelte Zwiebeln
3 Lorbeerblätter
3 Nelken
1/2 EL Wacholderbeeren
1 EL bunten Pfeffer, ganz
Senf

Schäufele, gekauft beim guten Metzger, ist gepökeltes und geräuchertes Schulterblatt vom Schwein. Man isst es in der kalten Jahreszeit und/oder wenn man eine gute *„Unterlage"* braucht, damit Alkohol nicht so schnell „birnt"! Dazu kann z. B. Kartoffelsalat gereicht werden. Freiburger/Innen lieben jedoch ihre Brägele, auf hochdeutsch Bratkartoffeln.

Schäufele-Zubereitung

Es wird ein Sud hergestellt mit reichlich Salzwasser. Das Salzwasser mit den Zwiebeln und Gewürzen aufkochen. Schäufele hineinlegen und mehrere Minuten sprudelnd kochen. Zugedeckt 1 Stunde bei kleiner Flamme ziehen lassen. Heiß in Scheiben schneiden und heiß servieren. Senf dazustellen.

Brägele:

5 große, gewürfelte Zwiebeln
3 Lorbeerblätter
3 Nelken
1/2 EL Wacholderbeeren
1 EL bunten Pfeffer, ganz
3 kg Kartoffeln, festkochend
150 g Schwarzwälder Schinkenspeck
2 große Zwiebeln gewürfelt
Butterschmalz
Salz, Pfeffer aus der Mühle
5 große, gewürfelte Zwiebeln
3 Lorbeerblätter
3 Nelken
1/2 EL Wacholderbeeren
1 EL bunten Pfeffer, ganz

Brägelezubereitung

Kartoffeln am Vortag kochen und die Nacht über ungeschält stehen lassen. Kurz vor der Zubereitung schälen, in Scheiben schneiden. In einer breiten Pfanne

Butterschmalz zusammen mit dem klein gewürfelten Schinkenspeck erhitzen und die Kartoffelscheiben sowie die Zwiebelwürfel dazugeben. Bei starker Hitze braten. Wenn die unterste Schicht braun ist, mit einem Bratenheber wenden, salzen und weiter braten, bis alle Kartoffelscheiben knusprig braun sind. Zum Schluss nach Geschmack pfeffern.

Scherben - Erikas Rezept

500 g Mehl
2 Eier
2 EL Zucker
1 Päckchen Vanillezucker
1 Becher Schmant
2 Schnapsgläschen Kirschwasser von Schladerer
1 größeren Topf mit frischem zerschmolzenen Fett, z. B. Biskin
Puderzucker

Eine weitere Freiburger Spezialität, die an Fasnet nicht fehlen darf, hat den lustigen Namen ***Scherben.*** Sie sind eine süße, in Fett gebackene Köstlichkeit. Mann kann sie während des ganzen Tages essen. Spätestens zum Nachmittagkaffee sollten sie aber nicht fehlen.

Scherbenzubereitung

Eier, Vanillezucker und Zucker schaumig rühren. Mehl, saure Sahne, Kirschwasser dazugeben und einen Teig daraus kneten. Man sollte ihn ziehen können. Mehl auf einer Arbeitsfläche verteilen. Eine handvoll Teig auf die bemehlte Fläche legen und hauchdünn auswellen. Mit einem Teigrädchen 10 cm große Quadrate ausrollen, so weiter verfahren, bis der ganze Teig verarbeitet ist.

Das Fett erhitzen. Tipp: Machen Sie die Kontrolle mit einem Holzlöffel. Wenn am Löffelstiel das Fett Blasen zeigt, hat es den korrekten Hitzegrad erreicht, um die Scherben zu frittieren. Haben diese eine goldgelbe Farbe, sind sie fertig, Mit dem Schaumlöffel herausnehmen. Auf einem Kuchengitter Fett abtropfen und Scherben abkühlen lassen, danach mit Puderzucker bestäuben.

Abschließend legt man sie in eine große Schüssel und dekoriert den Schüsselrand mit Luftschlangen.

's Gschichtle

Ein altes Ehepaar aus der Wohnanlage kam zusammen mit seinem Enkelsohn zu mir ins Büro und zeigte mir stolz ein Foto. Ich sah ein schlafendes, rosiges Baby mit geballten Fäustchen. Die zwei Älteren verkündeten stolz: „Des isch 's erschte Urenkele, ein Büble!" Der Papa des Kleinen sagte mir, der Name vom Büble wäre Florian. Am kommenden Sonntag solle er getauft werden. Er bat darum, im Anschluss an den Taufgottesdienst zusammen mit der Großfamilie in der Begegnungsstätte feiern zu dürfen. Ich konnte Ihnen für diesen Tag den Raum zur Verfügung stellen. Abschließend fragten sie mich um Rat, was man denn zu diesem festlichen Anlass den Gästen auftischen könnte Eine der Beilagen solle einen mediterranen touch haben. Ich empfahl ihnen Zucchini mit Tomaten. Zucchini erklärte ich, seien nicht nur in den Mittelmeerländern favorisiert, auch hierzulande gäbe es viele Liebhaber. Das Zucchini-Rezept in diesem Menü mögen besonders Südtiroler gern. Die Südtiroler Wirtin und Köchin Hanna Perwanger bediente einmal einen Gast, der sich Gedanken über die Entstehung der Zucchini machte und zu folgendem Ergebnis kam: ➢➢

➢➢ Ein Kürbis liebte eine Gurke
im Etschtal oberhalb Tramin.
Nachts kroch er zu der Gurkenmurke.
Die Gurke liebte ja auch ihn.

Hier tranken sie Gewürztraminer;
Der Kürbis sagte: „Sehr zum Wohl,"
und seiner Gurkenbraut erschien er
als schönster Kürbis in Tirol.

Sie kreuzten sich und bastardierten
nach Gurken- und nach Kürbisfrist
Zucchino, der nun im verzierten
Salat der Etsch zu finden ist.

Vorspeise: **Honigmelone mit Serrano-Schinken**

Hauptspeise: **Paniertes Hähnchenbrustfilet, Backofenreis und Zucchini mit Tomaten**

Dessert: **Uromas Apfelstrudel mit Vanillesoße**

Vorspeise: ***Honigmelone mit Serrano-Schinken***

1 Honigmelone
200 g Serrano-Schinken in dünne Scheiben geschnitten
bunter Pfeffer aus der Mühle
150 ml Schlagsahne
150 g Johannisbeergelee

Zubereitung S. 153 re. Sp.

Hauptspeise: Paniertes Hähnchenbrustfilet:

6 Hähnchenbrustfilets
Salz, weißer Pfeffer
3 EL Mehl
3 Eier
6 EL Paniermehl
3 EL Butter

Vorspeisenzubereitung

Honigmelone in 2 Hälften teilen. Mit einem Esslöffel die Kerne in der Mitte entfernen. Jede Hälfte in je 6 gleichgroße Teile schneiden, so dass es insgesamt 12 Stücke sind. Jedes Teil im Abstand von 3 cm mit scharfen Messer quer einschneiden, vom Fruchtfleisch bis zur Schale. Achtung, Schale nicht durchschneiden! Schinkenscheiben in Streifen schneiden und je einen kleinen Streifen mit einem breiten Messerrücken, in das eingeschnittene Fruchtfleisch stecken, so dass beide Streifenenden an den Seiten etwas heraushängen. Schlagsahne sehr steif schlagen und mit Johannisbeergelee vermischen. Es soll eine glatte Masse entstehen. Nun je zwei Melonenstücke in V-Form auf 6 Glasteller legen. Je einen Esslöffel Johannisbeersahne in der Mitte des V's verteilen. Zum Schluss streut man den frisch gemahlenen Pfeffer über Melonenstücke und Sahne.

Zubereitung

Hähnchenbrustfilets gründlich waschen und gut trockentupfen. Filets mit Salz und Pfeffer würzen, zuerst in Mehl wenden, dann im geschlagenen Ei und abschließend im Paniermehl. Butter in einer Pfanne zerlassen und Filets von jeder Seite bei mittlerer Hitze 4 - 5 Minuten braten, warm halten.

Wasser mit Gemüsebrühwürfeln zum Kochen bringen. Reis abspülen, bis das Wasser klar bleibt. Wenn die Gemüsebrühe kocht, den Reis hineinstreuen und zugedeckt bei mittlerer Hitze 10 Minuten kochen lassen. Backofen auf 200° vorheizen. Zwiebeln schälen, würfeln. Möhren schälen, waschen und gleichfalls würfeln. Ingwerwurzel schälen, in ganz dünne Scheiben schneiden. 3 EL Butter in einer feuerfesten Form zerlaufen lassen. Zwiebeln, Möhren und Ingwer darin anbraten, mit Kräutersalz und grünem Pfeffer würzen. Reis mit der Kochflüssigkeit dazugießen und mischen. Die restliche Butter als Flöckchen darauf verteilen. Auf der mittleren Schiebeleiste im Backofen ca. 20 Minuten ausquellen lassen.

Backofenreis

400 g Langkornreis
1 1/4 l Wasser
4 Gemüsebrühwürfel
3 Zwiebeln, 6 Möhren
frische Ingwerwurzel ca. 4 cm
4 EL Butter
3 EL gehackte Petersilie
Kräutersalz, grüner Pfeffer aus der Mühle

Zucchini mit Tomaten

700 g kleine Zucchini
2 Zwiebeln
6 Fleischtomaten
150 g Südtiroler Speck
Salz, Öl, schwarzer Pfeffer aus der Mühle
1 Prise Zucker
1/2 Sträußchen Basilikum
1 EL frische Majoranblätter

Tomaten häuten, achteln. Zucchini waschen, trocknen, in Scheiben schneiden. Zwiebeln schälen, würfeln. Speck in kleine Würfel schneiden. Öl in einer Pfanne erhitzen und Zucchini, Zwiebeln mit dem Speck 5 Minuten anrösten. Tomaten, Kräuter hinzufügen und miteinander fertig dünsten. Abschließend die Prise Zucker hinzufügen, mit Salz und Pfeffer nachwürzen.

Dessert: ***Uromas Apfelstrudel mit Vanillesoße***

300 g Mehl, Salz, 2 EL Öl
3 Pfund Äpfel
Mehl zum Bestäuben
8 Zwiebäcke
3 EL Butter, 1 EL Zucker
250 g Sultaninen
60 g geriebene Mandeln
100 g Zucker, Zimt
3 EL Butter, Puderzucker
Butter zum Fetten des Backblechs

Für die Vanillesoße:

1 l Milch
4 P Dr. Oetkers Dessert-Soße
mit Vanillegeschmack

Wenn Ihre Gäste Apfelstrudel lieben, so empfiehlt es sich, die hier angegebene einfache Menge, für ein Blech, doppelt zu nehmen, für 2 Backbleche.

Mehl auf eine größere Arbeitsfläche schütten. In der Mitte eine Vertiefung machen und dahinein 1 Prise Salz sowie das Öl und 1 Tasse lauwarmes Wasser geben. Mit einem Kochlöffel nach und nach einrühren, bis der Teig mittelfest ist. Kräftig weiter kneten, bis er geschmeidig ist. Äpfel schälen, entkernen, in dünne, kleine Scheiben schneiden. Backofen auf 200° vorheizen. Die Arbeitsfläche mit Mehl bestäuben und Teigkloß darauf legen, etwas Öl darüber streichen. Mit einer angewärmten Schüssel den Teigkloß bedecken und 20 Minuten darunter ruhen lassen. Derweil die Zwiebäcke mit einem Wellholz zwischen einem Tuch sehr fein zerdrücken. 3 EL Butter in einer Pfanne erhitzen, 1 EL Zucker darin auflösen und die Zwiebackkrümel darin trockenrösten, abkühlen lassen. In einer Schüssel Apfelscheiben, Sultaninen, Mandeln, Zucker, Zimt vermischen.

Nun ein größeres Tuch (z.B. Tischtuch) auf die Arbeitsfläche legen und mit Mehl bestäuben. Den Teigkloß mit der geölten Seite nach oben darauf legen und ausrollen, so dünn wie möglich. Jetzt taucht man seine Hände in Mehl und greift unter den Strudelteig, dass er auf dem Handrücken liegt und von unten Luft bekommt. Nun wird der Teig von der Teigmitte aus nach allen Seiten auseinander gezogen, so dass er immer dünner wird. Er sollte die Größe der Tischplatte erreichen. Die dicken Teigränder werden abgeschnitten.

3 EL Butter zerlassen. Mit 1 EL noch warmer, nicht mehr heißer zerlassenen Butter den ausgezogenen Teig beträufeln. Mit zerbröseltem Zwieback bestreuen und die Apfelmasse darüber verteilen. Der hintere Rand muss 20 cm frei bleiben. Die restliche Butter wird jetzt auf der Apfelmasse verteilt.

Jetzt das Tuch anheben und den Strudel auf die nicht belegten Teigseite hin zusammenrollen. Die Ränder fest zusammen drücken. Das Backblech mit Butter fetten. Den Strudel darauf heben und dabei bumerangförmig biegen.

Er wird bei 200° etwa 45 Minuten goldbraun gebacken und nach dem Herausnehmen mit Puderzucker bestreut. Immer heiß servieren.

Vanillesoße wird nach Packungsanweisung zubereitet.

’s Gschichtle

Wir sind am Ende der Schlemmerreisen angelangt. Darum ist es mir wichtig mit diesem Festmahl, das zum Gedenken einer Verstorbenen gekocht wurde, die grenzenlosen Menüs zu beenden. In vielen Gegenden ist es üblich die Trauergesellschaft nach der Beerdigung zum Leichenschmaus einzuladen. Ich konnte diesbezüglich Erfahrungen sammeln, da in meiner Heimat, dem Eichsfeld, dieser Brauch gepflegt wurde und wird. Ich empfand den Leichenschmaus immer als sehr tröstlich, besonders als unser Vater und später die Mutter zu Grabe getragen wurden. Nach der Beerdigung geht man in das Haus des Verstorbenen oder in eine Gastwirtschaft. Die nächsten Angehörigen bitten die Trauergäste zu Tisch. Zunächst ist die Stimmung gedämpft, die Augen verweint. Plötzlich wird das Gemurmel unterbrochen. Das Essen beginnt. Die Trauenden greifen wacker zu und trinken ihr Viertele oder ein Bier dazu. Auch ein paar Schnäpsle zwischendurch sind nicht zu verachten. Die Wangen röten sich. Man spricht in bewegten Worten Lobendes über die/den Verstorbene/n und stößt auf die/den in Frieden Ruhende/n an. Wenn alles verzehrt und ausgetrunken ist, geht man gesättigt und getröstet von dannen.

Im August 2000 starb meine Schwiegermutter in Südtirol, die ich sehr mochte. Mich hat ihr Begräbnis tief beeindruckt. Deshalb möchte ich an dieser Stelle kurz darüber berichten: Ihr Haus steht in 1600 m Höhe. Ihr Sarg wurde, nachdem man sie in der Stube aufgebahrt und alle Abschied genommen hatten, vor das Haus getragen. Dort stand ein zu einer Art „Lafette“ umfunktionierter Leiterwagen in Wartestellung, mit eingespanntem Pferd. Die Familienangehörigen und nächsten Nachbarn beteten am Sarg. 6 Männer der Feuerwehr hoben ihn auf den Wagen. Der Zug setzte sich in Bewegung. Ein Vorbeter begann mit dem Rosenkranzgebet. Die Trauernden antworteten. Während wir abwärts in Richtung Kirche gingen, schlossen sich aus jedem Haus ein oder mehrere Bewohner an und reihten sich in den Zug ein. Die Karabinieri (Polizei) hatten die Dorfstraße für jeglichen Verkehr gesperrt. Wenn man sich umdrehte und zurück nach oben schaute, sah man die lange Schlange der Trauergemeinde. Als wir nach weit mehr als einer Stunde bei der Dorfkirche ankamen, wurde der Sarg auf dem Platz unterhalb der Kirche auf die Erde gestellt. Der Pfarrer begann mit der Einsegnung der Toten. Dann trugen ihn die Feuerwehrmänner hoch in die Kirche, die auf einem Hügel steht. Es folgte ein einstündiges Requiem. Abschließend ging es zum Friedhof, direkt neben der Kirche. Insgesamt waren drei Stunden vergangen, und die Trauergemeinschaft atmete erleichtert auf, als zum Leichenschmaus geladen wurde. Es gab viele leckere Köstlichkeiten, die uns in unserer Trauer trösteten.

Vorspeise: **Schlutzkrapfen**

Hauptspeise: **2 Fleischsorten - Rehragout & Bauernschöpsernes**

Beilagen: **Speck-, Kas- und Pfifferlingsknödel sowie Broccoli mit Mandeln**

Dessert: **Seelentröster**

Vorspeise: *Schlutzkrapfen*

Für den Teig:
250 g Weizenmehl
250 g Roggenmehl
2 Eier
1 EL Öl, Salz
lauwarmes Wasser, nach Bedarf

Fortsetzung S. 160

Das nun folgende Rezept stammt von der Südtiroler Freundin Margareth. Da es sich um das letzte Menü im Buch handelt und gleichsam für die Hinterbliebenen zum Gedenken an einen lieben Menschen zubereitet wird, ist es üppiger ausgefallen, als die vorherigen. Mengenangaben für 6 Personen.

Vorspeisenzubereitung

Mit Mehl, Eiern, Salz und Öl einen Teig kneten, nicht zu fest, zu einem Kloß formen und eine Schüssel darüber stülpen. 1 Stunde ruhen lassen. Spinat gut waschen, in Salzwasser kochen und auf ein Sieb schütten. Spinat gut ausdrücken und mit Petersilie mischen. Beides mit dem Mixer zerkleinern. Zwiebel schälen, klein hacken, in Butter anrösten, mit dem Mehl bestäuben, heiße Milch zugießen, unter ständigem Rühren ein wenig einkochen lassen. Nun die Spinat- Petersiliemischung hinzufügen. Mit Salz, Pfeffer, Muskat und Parmesan würzen. Die Füllung kalt werden lassen. Den Teig sehr dünn ausrollen. Ein Trinkglas nehmen und runde Stücke damit ausstechen. Die Füllung wird mit einem Teelöffel drauf gelegt. Sofort zusammenklappen und die Teigränder fest andrücken. Achtung! Es muss schnell gearbeitet werden. Falls die Teigoberfläche zu stark austrocknet, kleben die Teigränder nur noch schlecht oder gar nicht! Die fertigen Schlutzkrapfen in kochendes Salzwasser geben und 5 Minuten kochen, auf ein Sieb schütten, in eine vorgewärmte Schüssel geben, mit Parmesan und gebräunter Butter abschmelzen. Sofort servieren.

Bauernschöpsernes-Zubereitung

Fleisch in 4 cm große Stücke schneiden. Knoblauch und Zwiebeln schälen. Zwiebeln vierteln. Backofen auf 200° vorheizen. In einem Bräter Öl erhitzen. Fleisch, Zwiebeln und Knoblauch darin anbraten, salzen, pfeffern und mit Rotwein ablöschen, die Kräuter hinzufügen. Das Ganze sollte 1 Stunde im Backofen garen. Kartoffeln schälen und in kleine Würfel schneiden. 1/2 Stunde vor Ende der Garzeit in den Bräter legen und mit dem Fleisch mischen. Abschließend nochmals kräftig nachwürzen.

Fortsetzung S 161 re. Sp.

Für die Vorspeisen-Füllung:
800 g Spinat
4 EL gehackte Petersilie
1 kleine Zwiebel
40 g Butter
je 1 EL Parmesan und Mehl
1/4 l Milch
Salz, Muskatnuss
weißer Pfeffer aus der Mühle
80 g Butter
60 g Parmesan

Bauernschöpsernes

1,5 kg Lammkeule (ohne Knochen)
150 ml Öl
3 Zwiebeln
je 2 Zweige Rosmarin
Salbei
Lorbeer
4 Knoblauchzehen
1/4 l trockenen Rotwein
800 Kartoffeln
Salz,
bunter Pfeffer a. d. Mühle

Hauptspeise: ***Rehragout***

1 Rehrücken, ca. 1,5 kg
100 g weißer Speck
Salz, schwarzer Pfeffer a. d. Mühle
Olivenöl, 2 Karotten
1/2 nicht so großer Sellerie
1 große Zwiebel
2 Petersilienwurzeln
1 Stange Lauch
1/4 l trockener Rotwein
4 Wacholderbeeren
schwarzer Pfeffer a. d. Mühle
1 TL Zitronensaft
1 Becher Sauerrahm, 20 %

Rehragout-Zubereitung

Gemüsesorten putzen, waschen, würfeln. Vom Rehrücken alle Sehnen entfernen. Mit weißen Speckstückchen spicken, salzen und pfeffern. Backofen auf 200° vorheizen. Olivenöl in einem Bräter erhitzen und Rehrücken darin anbraten. Zerkleinertes Gemüse um das Fleisch legen, kurz mit braten. Den Bräter in den Backofen stellen und 20 Minuten backen lassen. Während dieser Zeit das Fleisch häufig mit dem Bratsud begießen. An den Knochen sollte es noch rosa sein. Wer das nicht mag, kann den Braten etwas länger im Ofen lassen. Fleisch herausnehmen und in Alufolie wickeln, warm stellen. Gemüse im Bräter mit Rotwein ablöschen. Wacholderbeeren zerdrücken und diese mit Pfeffer, Zitronensaft und Sauerrahm hineingeben, weiter köcheln lassen, bis die Hälfte verdampft ist. Soße passieren, abschmecken. Vom Rehrücken werden die Filets herausgelöst und in Scheiben geschnitten. Man legt sie dann wieder auf den Rehrücken. Alles mit Soße beträufeln. Die restliche Soßenmenge wird extra serviert.

Knödel-Zubereitung

Brot in kleine Würfel schneiden. Speck noch feiner würfeln. Beides in eine Schüssel geben. Butter und Zwiebel in einer Pfanne rösten, beiseite stellen. Eier und die Hälfte der Milch miteinander verquirlen. Salz sowie Petersilie darunter mischen, über das Brot gießen. Alles vermischen und 30 Minuten ziehen lassen. Nun Mehl, Salz, Zwiebeln und wenn nötig die restliche Milch dazugeben, alles nochmals mischen. Die Knödel werden mit nassen Händen geformt und in kochendes Salzwasser gegeben. 15 Minuten sollten sie gar ziehen, nicht sprudelnd kochen.
Tipp: Es empfiehlt sich, zunächst nur einen Knödel hineinzugeben. Wenn er zerfällt, dem Teig noch etwas Mehl beifügen.

Die Kasknödel werden in gleicher Weise wie die Speckknödel zubereitet. Darauf achten, dass der Käse auch möglichst klein gewürfelt wird.
Ebenfalls in kochendes Salzwasser geben und 15 Minuten ziehen lassen.

Speckknödel

300 g altbackenes Weißbrot / Brötchen
100 g Südtiroler Speck
1/2 klein gehackte Zwiebel
1 EL Butter
2 Eier
1/4 l Milch
2 EL Mehl
3 EL fein gehackte Petersilie

Kasknödel

250 g altbackenes Weißbrot /Brötchen
4 Eier
1/8 l Milch
1 Zwiebel
100 g Butter
150 g Käse, Emmentaler
60 g Mehl
Muskatnuss frisch gerieben
Salz

Pfifferlingsknödel

300 g altbackenes Weißbrot / Brötchen
150 g frische Pfifferlinge
1/2 Zwiebel
2 zerdrückte Knoblauchzehen
3 Eier
120 g Butter
1/8 l Milch
2 EL Mehl
Salz
1/2 TL weißer Pfeffer aus der Mühle
1 Bund Schnittlauch,
in feine Röllchen geschnitten

Broccoli mit Mandeln

2 kleine, frische Broccoli, 800 g
2 EL gehobelte Mandelblättchen
1 EL Butter
Salz, weißer Pfeffer aus der Mühle

Zubereitung

Die **Pfifferlingsknödel** werden ebenso wie die vorherigen zubereitet. Einen Unterschied gibt es: In der Pfanne werden zusammen mit der Butter, Zwiebel, Knoblauch und Pfifferlinge angeröstet. Den höheren Flüssigkeitsgehalt der Pfifferlingen verdampfen lassen. Knödel 15 Minuten in Salzwasser ziehen lassen.

Broccoli waschen, in gleichmäßige Röschen teilen. Den Strunk schälen und gleichgroß wie die Röschen schneiden. Broccoli in kochendes, gut gesalzenes Wasser geben und kurz kochen lassen. Der Broccoli sollte bissfest oder besser knackig sein. Deshalb genügen schon 3 - 4 Minuten. Währenddessen Mandelblättchen in Butter goldbraun rösten. Broccoli auf einem Sieb abschütten, in eine vorgewärmte Schüssel geben. Mit wenig Salz bestreuen, Pfeffer aus de Mühle darüber geben und die Mandelblättchen gleichmäßig verteilen. Am besten sofort servieren.

Zubereitung

Zwetschgen in lauwarmes Wasser einweichen. Wenn sie schön aufgegangen sind, gut abtropfen lassen, mit Küchenpapier außen trocknen und jede mit einer Mandel füllen. Mehl sieben, mit Weißwein, Salz und Butter glatt rühren. Eidotter untermischen und 1 Stunde ruhen lassen. Eiweiß mit Zucker steif schlagen und vorsichtig unter den Teig ziehen. Fett heiß werden lassen. Zwetschge auf eine Gabel spießen, in den Teig tauchen, in sehr heißem Fett schön braun backen, etwas abkühlen lassen, in der Raspelschokolade wälzen und mit Puderzucker bestäuben.

Weinschaumsoße bereitet man zu, indem man die Eigelbe mit Zucker cremig rührt und dann die Creme in ein warmes Wasserbad stellt und mit dem Weißwein schaumig schlägt.

Auf 6 Dessertteller je 6 Pflaumen legen. Von der Weinschaumsoße je 3 EL neben die Pflaumen geben, so dass ein kleiner Teich entsteht. Dorthinein werden je 3 Kugeln Vanilleeis gelegt. Sofort servieren!

Dessert: ***Seelentröster***

36 getrocknete, große Pflaumen, von Seeberger
36 geschälte Mandeln
Vollmilch-Raspelschokolade
Puderzucker
Fett zum Backen, Biskin

Für den Backteig:

250 g Mehl
1/4 l Weißwein
1 Prise Salz
2 EL zerlassene Butter
4 Eier, 4 EL Zucker

für die Weinschaumsoße:

6 Eigelb
3 EL Zucker
1/4 l Weißwein
1 Päckchen Vanilleeis von Mövenpick

's Gschichtle

In der Seniorenwohnanlage beteiligten wir uns jedes Jahr am Adventsmarkt, der vor unserem Haus auf dem großen Zähringer Platz stattfand, traditionell immer am Samstag vor dem 1. Adventssonntag. Wir, die einzelnen Standbetreiber, konnten den Erlös für gemeinnützige Zwecke einsetzen. So gab es auch keine professionellen Marktbeschicker, sondern z. B. die katholische und evangelische Kirchengemeinde des Stadtteils, die dazu gehörigen Kindergärten, die Ministrantengruppe usw. Wir boten unterschiedliche Artikel an. In der Regel war es Selbstgebasteltes, Genähtes, Gestricktes, Weihnachtsbäckerei etc. Für die Besucher gab es auch kleine Imbisse und Getränke, wobei wir uns untereinander absprachen, dass jeder Unterschiedliches anbot. In einem Jahr sollte es etwas Besonders sein, da wir zweimal hintereinander Wienerle mit Brötchen und Butterbrezel verkauft hatten. Ich kam auf die Idee, das oben genannte Seniorentöpfchen zu kreieren. Bei der Vorbereitungs-Sitzung der Marktteilnehmer nannte jeder seine Angebote. Ich erlebte einen riesigen Heiterkeitsausbruch vom Rest der Gruppe. Der Marktleiter bat mich, doch diesen großartigen Imbiss umzubenennen. Er begründete das mit seiner Vorstellung von diesem Leckerbissen. So erhielt meine kleine Köstlichkeit die Bezeichnung „Adventsweckle".
Als unsere unvergessene Illustratorin, Frau Haeublein, davon hörte, schüttelte sie sich vor Lachen und zeichnete unverzüglich mein Original-Angebot - siehe Seite 166 -.

Das Seniorentöpfchen

6 große, knusprige Brötchen
(in Freiburg nennt man sie Krustis)
800 g Putenbrust

3 Knoblauchzehen,
3 Gemüsezwiebeln
4 Lauchzwiebeln
Kräutersalz
bunter Pfeffer aus der Mühle
Butterschmalz
Tomatenketchup

Zubereitung

Von jedem Brötchen an einer Seite ein 4 cm großes Stück abschneiden, es dient später als Deckel (Verschluss). Das Innere des Brötchens mit einem langstieligen Löffel aushöhlen, anderweitig verwerten. Putenbrust waschen, mit Küchenpapier gut trocknen und schnetzeln (in zarte Streifen schneiden). Gemüse- und Lauchzwiebeln sowie Knoblauch schälen. Letzteren pressen, erstere fein würfeln. Butterschmalz in einer Pfanne erhitzen. Fett nicht zu heiß werden lassen, sonst wird das Fleisch strohig. Fleisch anbraten. Dann das Zwiebel-Knoblauchgemisch dazugeben, salzen. Hitze reduzieren, Flüssigkeit verdampfen lassen. Nochmals nachsalzen und nach Geschmack Pfeffer aus der Mühle hinzu geben.
Ausgehöhlte Brötchen nehmen und mit dem heißen Fleisch füllen. Abschließend den abgeschnittenen Deckel wieder drauf setzen. Wer mag, kann noch Ketchup dazu nehmen.

„SENIOREN-
TÖPFCHEN“

Das würdige Schlusswort gebührt unserer großartigen Illustratorin. Als sie schon die meiste Zeit des Tages ans Bett „gefesselt" und durch ihre schwere Krankheit sehr abgemagert war, stellte sie einmal mehr auch ihren schwarzen Humor unter Beweis. Sie schrieb mir folgendes Versle:

Liebe Frau Walcher,

ich bin eine alter Blődel
auch nicht rund wie ein Knődel.
Fehlt es an Suppenknochen,
dann kőnnen Sie mich kochen.
Ist alles auch so morsch und krank,
Humor, den hab ich, Gott sei Dank.
Ob traurig oder heiter
's Leben geht doch weiter!
Gell?

Ruth Haeublein

Am Ende des grenzenlosen Essens angelangt, gilt mein Dank denen, die mich auf unterschiedlichste Weise unterstützten, dieses Werk überhaupt zu bewerkstelligen:

Für einige Rezept-Ideen danke ich meinen Schwestern:

Brigitte Diete
Hannelore Lath
Agnes Waldhelm

sowie meinen Freundinnen aus:

Bayern	Helga Bartmann
München/Lima	Cecilia Lešević de Cruz-Saco
Berlin	Vera Urbanczyk
Freiburg	Erika Kern
Schwaben	Elisabeth Noeske
Südtirol	Dr. Margareth Kamelger

und dem Freund aus:

München/Lima   Dr. Alvaro Cruz-Saco

Bildverzeichnis / Fotos:

Prof. Gerhard Walter
Berthold Noeske
Gisela Walcher

Illustrationen:

Ruth Haeublein
Judit Walcher (S.21)

Ein besonderes DANKESCHÖN geht an den Freund Berthold, der das Layout meisterte und bei der Bildbearbeitung half. Ebenso danke ich meinem Mann Gottfried, der Korrektur las und mir Mut zusprach, sowie unserem Sohn Martin, der immer bei Computerproblemen der Nothelfer war und mich geduldig anleitete, die diversen Programme ein- und umzusetzen. Unsere zwei Töchter Judit und Melanie machten ihre Mama wieder flott, wenn die Schreiblust erlahmte. Viele Freundinnen und Freunde, die hier nicht namentlich genannt sind, nahmen regen Anteil, während das Buch Gestalt annahm. Sie waren sozusagen die Perlen im Champagner, die mir oftmals Anregung gaben und auch gelegentlich etwas Druck machten. Summa summarum hoffe ich: „Sie, die nun mit diesem Buch sich ebenfalls auf Schlemmerreise begeben, haben genau so viel Spaß wie wir Goldies!"

Abkürzungen 20
Amaretto-Krönung 61
Amuse-gueule 22
Ananas 36, 130
Arme-Leute-Essen 138, 139
Aubergine 98
Australischer Cocktail 59
Avocados, wie Brigitte sie mag 73

Backofenreis 154, 156
Baguette 22, 23
Bambussprossen 85
Bamia 92, 94
Bandnudeln 41
Baseler Zwibelewäie 150, 151
Basmatireis 34, 75, 108
Bauernsalat mit Schafskäse 77, 78
Bauernschöpsernes 159, 161
Bayerische Vanillecreme mit Kirschen 66, 69
Bayrisch Kraut 134, 135
Béchamelsoße 78, 79
Bleichselleriecocktail mit Maronen 142, 143
Bohnensalat 123, 125
Bohnentopf mit Rinderzunge 88, 89, 90
Bollito misto con salsa verde 23
Brägele 150, 151, 152
Bratäpfel mit Zimtsternen 142, 145
Broccoli-Blumenkohl-Gratin 44, 45
Broccoli mit Mandeln 159, 163
Buebespitzle 119, 121
bunter Salat mit Früchten 81
bunte Sonnenwirbele 38, 39
Buttermilch 91

Caciocavallo-Käse 98
Carambole 37
Carne con frutas 59
carote in agro 38
Champignoncremesuppe 55, 56
Champignon-Spargel-Salat 84, 85
Chinakohlsalat mit gegrilltem Schweinebraten 63
Chinakohlsalat mit Kiwi 106, 107
Chorizo-Wurst 112
Cocktail indisch 43, 44
Conejo en salmorejo y papas arrugadas con mojo de cilantro 82
Cordon bleu 30, 31
Couscous 51, 52, 53
Dolce vita unterm Kardinalshut 84, 87

Eichsfelder Schäfer-Essen 124
Erdbeeren im Sektbad 30, 32
Erdnusssoße 34, 35
Ersäufte Kalbssteaks 43, 44
Fastenknödel 43, 44
Feijoãda 88, 89, 90
Filet mit Pfifferlingsragout 143, 144
Fladenbrot 73
Flädlesuppe 33, 34
Forelle in Gelee 51, 52
Freiburger Gemüseplatte 114, 117
Frühlingssuppe mit Eierstich 47, 48
Fürst-Pückler-Eis 22, 25, 106, 109
Fusilli alla siracusana 96, 98

Gänsebrust mit Rotkohl 146, 147
Garbure 146
gebundene Gemüsesuppe 146, 147
gebundene Hühnersuppe 88, 89

Geflügelfleisch 134
Gefüllte Schinkentüten aus Irland 138, 139
Gefüllte Tomaten 96, 97
Gegrilltes Flankensteak 130, 131
gekochter Schinken 31
Gekräuselte Spiralnudeln 96, 98, 99
Gemischte Fleischsorten 22, 23, 24
gemischtes Gemüse 103
Gemüse und Kapern 96, 98
Gemüse-Kräuter-Quiche 55, 57
Gemüse-Obst-Salat 66, 67
gerösteten Schlosskartoffeln 101, 103
Glutrote Sonne auf Eis und Schnee 56, 58
Gratiniertes Fischallerlei 38, 40
Grilled flank steak 130, 131
grüne Bohnen 26, 28
grüne Erbsen 127, 128
grüner Salat 26, 122, 139
grüne Soße 22, 24
Gruyère Käse 127

Hackfleisch mit Früchten 59, 60, 61
Hähnchenbrustfilet 34, 35, 154, 155
Haselnusscreme aus dem Paradies 123, 126
Hawai-Salat 26, 27
Heiße Kirschen auf gemischtem Eis 96, 100
Helenas-Eissorbet 77, 79
Himbeeren 91, 113
Honigmelone mit Serrano-Schinken 154, 155
Hühnerfleisch 44, 88

Ingwerwurzel 34, 156
Israelische Maultaschensuppe 134

Johannisbeergelee 154, 155

Kaffeekuss im Hemd 26, 29
Kalbfleisch 63, 64
Kalbfleischfilet 23, 25
Kalbsschnitzel 31
Kalbsschnitzel in Marsala 96, 98
Kaninchen 80, 82
Kartoffel-Gemüsesuppe 123, 124
Kartoffeln in Pfeffersoße 26, 29
Kartoffelpüree 123, 125
Kartoffelsalat 30, 31
Kas- und Pfifferlingsknödel 159, 162, 165
Kiwis 29, 34, 36, 106, 107
Knödel 43, 45, 159, 162, 163, 167
Kokosnuss 34, 36
Koriander- Soße 82, 83
Kürbis Ananas pikant 84, 86
Kreplach 134, 135
Kürbiscremesuppe 127

Lachs 40
Lachs Quiche 57
Lady in red 43, 46
Lammbraten 26, 27, 123, 124
Lammfilets 47, 48, 49
Lammfleischtopf 51, 52, 53
Lammhackfleisch 78, 79
Lammkeule 26, 27, 52,124
Lammschnitten 45, 46
Langkornreis 30, 48, 110, 111, 156
Liebesnest 88, 91
Linsensuppe mit Knoblauch 92, 93

Mais 23, 106, 108
Mandarinen-Sahne-Gelee 146, 149
Mango 34, 36, 73, 75

Marinierte Auberginen 119, 120
Mariniertes Wildkaninchen 80, 82
Marsala 96, 98
Maronen 142
Mascarpone 83
Meal for poor people 138, 139
Meerrettich 23, 119, 120
melanzane marinate 119
Miesmuscheln 112
Misti di pesce 38, 40
Mond und Sterne über Bagdad 38, 42
Moskauer Kohlpastete 66, 67, 68
Moussaka 77, 78, 79

Naschkatzen Tutti Frutti 110, 113
Nusskerne 126

Ochsenfleisch mit Meerrettich und Preiselb. 119, 120
Ofetürli 114, 116
Okra-Auflauf 92, 94
Old English baked cod 106, 107
Omas Grießflammeri mit Früchten 70, 72

Paella 110, 111, 112
Papas a la huancaína 26, 29
Papas arrugadas 82, 83
Pecorino 98
Pellkartoffeln 64, 121
Pfifferlinge 142, 144
Pfifferlingsknödel 159, 163
Pfirsiche 87, 113
Pflaumen 60, 164
Pierna de cordero a la manera 26, 27
Pilaw Reis 47, 48, 49
Pomodori alla siciliana 96, 97
potage Parmentier 123, 124
Poularde 23, 24
poule au Champagne aux petits pois 127, 128
Preiselbeeren 119, 120
Prinzenbirne mit Geist 73, 76
Putenbrust 165

Quarknockerln mit Erdbeeren 134, 137
Quiches 55, 56

Rehragout 159, 160, 161
Reiberdatschi 134, 136
Reispfanne 110, 111
Rhebab 47
Rinderfilet 85, 143
Rinderhackfleisch 59, 60, 94
Rindfleisch 23, 24, 71, 84, 85
Römischer Spargelsalat 101, 102
Roquefortkäse 142
Rosanas königliche Schleckerei 130, 133
Rostbraten 101, 102
Rösti 62, 64
Rotbarsch 26
Rotkohl 146, 148
Rumpsteaks 101
Runzelkartoffeln 80, 82, 83

Safranreis 111
Sardellenfilets 24, 98
Sauerkirschen 50, 69, 100
Scaloppine al Marsala 96, 98
Schafskäse 77, 78
Scherben 150, 153
Schinken 31, 139, 144, 152, 154, 155
Schinken-Porree-Quiche 57

Schleckermäulchen, Nusscreme mit Himbeer 51, 54
Schlutzkrapfen 159, 160
Schokoladenquark mit Eierlikör 62, 65
Schoko-Sahnetraum aus dem Orient 114, 118
Schupfnudeln 120, 121
Schwarzwälder Schäufele 150, 151, 152
Schwarzwaldmädel küsst Traumprinzen 47, 50
Schweinebraten 62, 63, 66, 68
Schweinefilet 73, 74, 143
Schweinefleisch 71
Schweinswürstchen 89
Seelentröster 159, 164
Seezunge 40, 70
Sektbrüstchen mit grünen Erbsen 127, 128
Seniorentöpfchen 165
Serviettenknödel 146, 148, 149
Shrimpcocktail 130, 131
Shurit Ads 92, 94
Sojabohnenkeimlinge mit Früchten 114, 115
Sopa de ajo a la Toledana 110, 111
soupe de Courge à la crème 127
Spagettiauflauf 142, 144
Spanisch Fricco 70, 71
Spargel 23, 101, 102
Speckknödel 159, 162
Spinatnudeln 40, 4
stuffed ham bag from Irland 138, 139
Suppenhuhn 47, 88, 89
süß saure Möhren 38, 41
süße Sünde 101, 103
Süßkartoffeln 34, 35

Tagliatelle verdi con spinaci 38, 41
Tenerife - ensalada con frutas 80, 81
Tenerifensischer Salat mit Früchten 80, 81
Tiramisu 80, 83
Tiroler Witwenküsse auf Apfelspeise 119, 122
Toledo-Knoblauchsuppe 110, 111
Turmbau zu Babel 92, 95
Überbackener Kabeljau 106, 107
Unter einem Baldachin 127, 129
Uromas Apfelstrudel mit Vanillesoße 154, 157

Vanille-Waffeln 95
Veras Bienenstich 106, 109

Weißkohl 68, 89, 90
Wiener Rostbraten 101, 102
wild rice and mushroom casserole 130, 131, 132
Wilder Reis mit Pilzen 130, 131, 132
Wildlachsröllchen 22
Wildlachsscheiben 23
Williamschrist-Birnen 104
Williams-Christbirnen und Käse 59
Würstel 135, 139

Yü-Hsiang-Niv-Jou 84, 85

Zitronensuppe 30
Zucchini 52
Zucchini mit Tomaten 154, 156
Züricher Geschnetzeltes 62, 63, 64
Zwetschgenknödel in Buttersoße 139, 140